KB179707

국내외 드론산업 법제도 및
시장기술동향보고서 2022개정판

저자 비피기술거래 비피제이기술거래

<제목 차례>

I. 드론의 개요

I.드론의 개요

1. 드론의 개념

무인항공기 체계(無人航空機, 영어: Unmanned Aerial Vehicle Syatem, UAV)는 우리에게 '드론'(drone)으로 더 많이 알려져 있다. '드론'(drone)은 '벌이 윙윙거린다'는 뜻이다. 조종사가 비행체에 직접 탑승하지 않고 지상에서 원격조종(Remote piloted), 사전 프로그램된 경로에 따라 자동(auto-piloted) 또는 반자동(Semi-auto-piloted)형식으로 자율비행하거나 인공지능 탑재하여 자체 환경판단에 따라 임무를 수행하는 비행체와 지상통제장비(GCS: Ground Control Station/System) 및 통신장비(Data link) 지원장비(Support Equipments) 등의 전체 시스템을 통칭한다. RC비행기는 비행기를 조종하는 컨트롤러가 필수 조건이 되지만 드론은 컨트롤러가 필요하지 않을 수 있다는 점이 차이점이다.

다음은 드론의 다양한 표현과 정의이다.

구분	정의
무인기 (무인기 시스템)	-조종사가 비행체에 직접 탑승하지 않고 지상에서 원격조종, 사전프로그램 경로에 따라 자동 또는 반자동 형식으로 자율비행하거나 인공지능을 탑재하여 자체 환경판단에 따라 임무를 수행하는 비행체와 지상통제장비 및 통신장비, 지원장비 등의 전체 시스템을 통칭
드론 (Drone)	-사전 입력된 프로그램에 따라 비행하는 무인 비행체
RPV	-Romote Piloted Vehicle -지상에서 무선통신 원격조종으로 비행하는 무인 비행체
UAV	-Unmanned/Uninhabited/Unhumaned Aerial Vehicle System
UAS	-Unmanned Aircraft System -무인기가 일정하게 정해진 공역뿐만 아니라 민간 공역에 진입하게 됨에 따라 Vehicle이 아닌 Aircraft로서의 안전성을 확보하는 항공기임을 강조하는 용어
RPAV	Remote Piloted Air/Aerial Vehicle 2011년 이후 유럽을 중심으로 새롤 쓰이기 시작한 용어
Robot Aircraft	지상의 로봇 시스템과 같은 개념에서 비행하는 로봇 의미로 사용되는 용어

[표 1] 드론의 다양한 표현과 정의

클라우스 슈밥 다포스포럼(세계경제포럼) 회장이 저술한 '제4차 산업혁명'에 나온 문구에서 그는 드론을 '하늘을 나는 로봇'으로 정의했다. 단순히 리모트컨트롤로 조종하는 무인 비행체가 아니라 특정 임무를 스스로 수행할 수 있는 비행체가 바로 드론이라는 것이다.

현재 중국 최고의 드론기업 DJI의 드론은 '하늘을 나는 로봇'에 가깝다. 장애물 회피, 피사에 인식 및 추적 기능 등 스스로 임무를 수행하는 기능을 갖추기 시작하면서 더 이상 RC비행체로 규정하기 힘들어졌다.[1] 중국 드론업체인 이항의 '이항184'은 세계 최초 유인 드론이다. 이항184는 탑승자가 목적지만 설정하면 드론이 최적의 경로를 탐색해 안전하게 탑승자를 원하는 곳까지 데려다준다.

인텔에서 시험 중인 군집 드론 시스템은 많게는 100여 대의 드론이 군집해 공중에서 다양한 형태를 이룬다. 이 시스템은 드론 하나하나를 컨트롤러로 조종하는 것이 아니라 특정 코드에 따라 드론이 자동으로 형태를 구성한다. 이처럼 차세대 드론은 제조·서비스 융합 모델로 주목받고 있으며, 특히 IT 기술 및 다양한 서비스 등과 융합하면서 시너지를 창출하고 있다.

---

1) 이데일리, 2016.12.11. <[채상우의 스카이토피아]RC비행기와 드론의 차이 무엇일까?>

2. 드론의 역사

드론 즉 무인항공기는 군사목적인 정찰, 감시, 구조, 소규모 폭격, 표적공격 등을 수행하기 위해 개발됐다. 1차 세계대전이 한창이던 1910년대 드론 관련 연구가 시작되어, 1918년경 'Bug'라는 이름의 드론이 미국에서 처음 개발된 것이 시초이다. 최초의 드론은 제2차 세계대전 직후 수명을 다한 낡은 유인 항공기를 공중 표적용 무인기로 재활용하는 용도로 사용되었다. [2]

[그림 1] 최초의 대량 생산 드론, 미국의 radioplane OQ-2

1960년대에는 베트남, 1990년대에는 보스니아와 헤르제고비나 그리고 코소보에서 사용되었다. 드론이 군사적으로 제대로 이용된 것은 1982년 이스라엘과 레바논의 전쟁에서부터다. 이스라엘이 레바논을 도와주던 시리아 군의 레이더와 미사일 기지의 위치에 대한 정보를 알기 위해 '스카우트'라는 드론을 적의 상공에 날려서 미사일을 발사하도록 유도하였고, 이를 통해 레이더 기지의 위치를 파악하고 파괴하는 등의 성과를 거두었다.

이후 이스라엘이 드론 기술개발에 적극적으로 뛰어들면서 드론의 전문기업화가 진행되기 시작했다. 이후 2001년 이라크, 아프가니스탄, 가자분쟁에서 사용하면서 수요가 극적으로 늘어났다. 이후에는 다양한 국내 그리고 국가 간 안보유지와 무력충돌상황에서 상용되고 있다. 2014년에는 북한에서 만든 무인항공기가 백령도와 파주 그리고 삼척에 추락하였고 급기야 청와대까지 정찰하였다는 뉴스가 떠들썩하였다.

2012년 말까지 7000대의 미국무인항공기가 1년에 4백만 번 출격(20,000sorties, 1sortie=20회 출격)하였다. 2010년에서 2012년 사이에 공격이 파키스탄영토에서 이루어졌으며, 350회의 미국무인항공기 공격이 있었으며, 2000~3000명을 사살하였다. 이스라엘, 영국, 오스트리아, 독일이 무인항공기를 사용하고 또한 공격에 사용하였으며, 러시아, 터키, 중국, 인도, 이란, 프랑스가 구매의사를 보이거나 보유한 것으로 알려졌다.

---

2) 출처 : http://www.ctie.monash.edu.au/hargrave/rpav_radioplane4.html

[그림 2] 드론의 전문기업화가 시작된 시초로 보는 이스라엘의 스카우트 드론

무인항공기가 발전하면서 무력충돌에서 공중 전력인 육상 목표물에 대한 공격(공대지)과 해상 목표물에 대한 공격(공대해), 공중 목표물에 대한 공격(공대공)을 다양하게 이용하는 방식으로 교전이 이루어지고 있다. 과거 육상전력과 해상전력을 지원하는 보조적 전력 차원에서 항공기를 사용했던 때를 뒤로하고 항공기를 중심으로 하는 공격전략이 급부상하며 자리 잡고 있다. 이러한 배경에는 재래식 무기를 항공기에 탑재하는 기술의 향상과 정밀하게 타격할 수 있는 기술(targeted killing)의 발전이 자리하고 있다. 이로써 공중전(airwarfare)이 효과적인 침투수단이 된 것이다.

2015년 기준으로 이미 5세대 스텔스 전투기개발이 완료되면서, 스마트 스킨, 슈퍼소닉 크루징(초음속 순항), 무인상태 자율임무 수행이 가능한 인공지능탑재를 주요기능으로 하는 6세대 전투기 개발이 시작되었다. 현재 개발된 무인항공기는 크기, 모양, 무게, 가격, 기능에 따라 12가지 종류 정도가 있다. 뿐만 아니라 무인항공기의 기술발전은 전쟁을 지휘하는 방식에도 기술을 접목하도록 변화시키고 있다. 영국 BAE 시스템즈(British aerospace and defence company: BAE Systems)는 영화 마이너리티리포트처럼 5년 안에 3D고글과 가상현실 콘택트렌즈를 사용하여 전쟁을 지휘할 수 있도록 상용화시킬 시제품을 이미 내놓았다. 소형화, 경량화된 무인항공기는 이제 민간서비스시장에서도 흔하게 볼 수 있다.

드론은 독립된 체계 또는 우주/지상체계들과 연동시켜 운용한다. 활용분야에 따라 다양한 장비(광학, 적외선, 레이더 센서 등)를 탑재하여 감시, 정찰, 정밀공격무기의 유도, 통신/정보중계, EA/EP, Decoy 등의 임무를 수행하며, 폭약을 장전시켜 정밀무기 자체로도 개발되어 실용화되고 있어 향후 미래의 주요 군사력 수단으로 주목을 받고 있다. 이렇듯 군사적 용도 외에도 상업용, 민간용으로 최근 몇 년 간 빠른 성장과 보급이 이루어지고 있는 추세다.[4]

최근에는 카메라와 GPS, 각종 센서 등 최첨단 장비를 장착하면서 관찰, 감시, 운송, 보안 등 여러 분야에서 활용가치가 높아지면서 민간시장으로 사용범위가 넓어지고 있다. 2013년 6월에는 영국 도미노피자가 무인항공기를 이용하여 피자배달 시연을 하였는데 피자 2판을 들고 매장에서 6.5km 떨어진 주문자의 집 안마당에 10분 안에 도착하였다. 이러한 서비스는 안정성과 주거침입관련 법이 정비되면 본격화될 예정이다.

---

3) 출처 : http://en.wikipedia.org/wiki/IAI_Scout
4) "드론", 위키 백과

이외에도 무인비료살포, 환경오염 상황찰영, 멸종위기종 관찰, 드라마 촬영에도 무인공중항공기가 사용되고 있다. 곤충정도의 크기로 만들어진 나노드론(nano drones)도 출현하였는데 벌새(hummingbird)드론이 한 시간에 17km를 날아가서 창턱에 앉는 정도에까지 이르렀다.[5]

최근과 같은 소비자 드론 시장의 확대는 또 다른 시각의 역사에서 살펴보아야 한다. 이와 관련해 가장 중요한 인물로 미래의 기술과 비즈니스와 관련하여 세계적인 명성을 가진 잡지 와이어드(Wired)의 편집장 출신인 크리스 앤더슨을 들 수 있다. 그는 2007년의 어느 날, 실제로 무선조종 모델 비행기의 원리에 대해 알아보는 과정 중에 무선 조종에 쓰이는 자이로스코프, 즉 자세를 제어하는 중요한 센서가 탑재된 무선조종 모델 비행기가 드론과 별로 다를 것이 없다는 것을 알게 되었다.

과거에는 기존의 항공기 크기가 되는 것을 드론, 작아서 장난감처럼 조종하는 것을 무선조종 비행기 또는 RC(Remote Control) 비행기라고 구분을 하였지만, 최근에는 작은 무인비행기가 다양한 용도로 활용이 가능해지면서 사실상 이런 구분은 무의미해지기 시작했다. 당시 시중의 소형 드론은 800달러에서 5천 달러가 넘는 것까지 다양했는데, 크리스 앤더슨이 이들을 직접 구해 분해를 해본 뒤, 적당한 마진을 감안하더라도 300달러면 충분히 판매가 가능하다는 것을 알게 된다.

실제 소형 드론이 그렇게 비쌌던 것은 대부분 지적재산권의 가격이 컸던 것이 원인이었는데, 이를 파악한 크리스 앤더슨은 오픈소스의 힘을 이용해서 저렴하고 누구나 만들 수 있는 드론 프로젝트를 시작하게 되고, 이렇게 시작된 커뮤니티 사이트인 DIY 드론스(DIY Drones)를 통해 저렴한 드론 시장이 열리기 시작했다.[6]

---

5) 무인항공기에 대한 법적쟁점연구, 2015, 박지현
6) 드론의 발전역사와 향후 시장 전망, 2015, 한국인터넷진흥원

3. 드론의 구성

드론의 구조는 드론이 지상의 원격조정자와 각종 데이터를 주고 받는 '통신부', 드론의 비행을 조정하는 '제어부', 드론을 날아가게 구동시키는 '구동부', 그리고 카메라 등 각종 탑재 장비들로 구성된 '페이로드'의 네 부분으로 나누어진다.

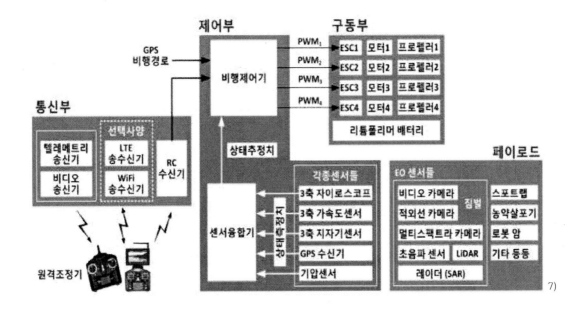

[그림 3] 드론의 구성도

(1) 통신부

'통신부'는 지상의 원격조정기(RC: Remote Controller)로부터 비행명령어를 수신하는 RC 수신기, 촬영한 사진이나 비디오를 지상으로 송신하는 비디오 송신기, 그리고 위치, 속도, 배터리 잔량 등의 비행정보를 지상으로 송신하는 텔레메트리 송신기로 구성된다.

텔레메트리 정보는 비디오 데이터와 함께 비디오 송신기를 통해 지상으로 송신되기도 한다(OSD: On Screen Display라고 부름). 최근에는 드론에 WiFi 혹은 LTE 송수신기를 탑재, WiFi 혹은 LTE를 이용해 원격조정 비행명령어 및 비디오 데이터를 송수신하는 드론도 출시되고 있다.[8]

(2) 제어부

'제어부'는 비행제어기, 센서 융합기 및 각종 센서들로 구성돼 있다. 드론이 안정적으로 비행하기 위해서는 드론에 장착된 각종 센서들을 이용해 자신의 비행 상태를 측정해야 한다.

---

7) 출처 : 포커스뉴스, 2016.04.09. [드론 기술의 미래]⑥ 드론의 구조
8) 포커스뉴스, 2016.04.09. [드론 기술의 미래]⑥ 드론의 구조

드론의 비행 상태는 회전운동상태(Rotational States)와 병진운동상태(Translational States)로 정의된다. 회전운동상태는 '요(Yaw)', '피치 (Pitch)', '롤 (Roll)'을 의미하며, 병진운동상태는 경도, 위도, 고도, 속도를 의미한다. 회전운동상태를 측정하기 위해 3축 자이로센서(Gyroscopes), 3축 가속도센서(Accelerometers), 3축 지자기센서(Magnetometers)를 이용하고, 병진운동상태를 측정하기 위해 GPS수신기와 기압센서(Barometric Pressure Sensor)를 이용한다.

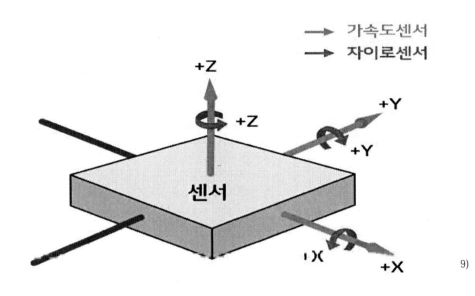

[그림 4] 가속도 센서, 자이로 센서 측정 방향

자이로센서와 가속도센서는 드론의 기체좌표(Body Frame Coordinate)가 지구관성좌표(Earth Centered Inertial Coordinate)에 대해 회전한 상태와 가속된 상태를 측정해 주는데, MEMS(Micro-Electro-Mechanical Systems) 반도체 공정기술을 이용해 관성측정기(IMU: Inertial Measurement Unit)라 부르는 단일 칩(Single Chip)으로 제작되기도 한다. IMU 칩 내부에는 자이로센서와 가속도센서가 측정한 지구관성좌표 기준의 측정치들을 지역좌표(Local Coordinate), 예를 들어 GPS가 사용하는 NED(North - East - Down) 좌표로 변환해주는 마이크로컨트롤러가 포함돼 있다.

드론이 각종 센서들을 이용해 측정한 회전운동상태와 병진운동상태를 상태측정치(State Measurements)라 부르는데, 이 상태측정치에는 여러 종류의 오차가 포함되어 있다. 센서융합기는 각종 센서들이 측정한 상태측정치들을 적절히 융합해 오차를 최소화 한 상태추정치(State Estimates)를 계산하여 비행제어기로 전달한다.

드론은 지상에서 원격조정기(RC: Remote Controller)를 이용해 비행을 조정하거나, 드론이 사전에 입력된 GPS 비행경로를 자기의 현재 비행위치(GPS 수신기를 통해 확인)와 비교하면서 스스로 비행할 수 있다(GPS 경로비행이 부름). 비행제어기는 RC 수신기로부터 전달받은 원격

---

9) 출처 : LG CNS 블로그, http://blog.lgcns.com/1101

비행명령어(혹은 GPS 경로비행을 할 경우, GPS 비행경로)를 센서융합기에서 보내온 상태추정치와 비교, 그 차이 값을 이용해 모터들의 회전속도를 계산하고, 계산된 결과들을 PWM(Pulse Width Modulation) 신호로 변환해 구동부로 전달해 준다.

(3) 구동부

'구동부'는 드론을 구동시키는 부품들로 BLDC 모터들, 프로펠러들, 모터변속기(ESC: Electronic Speed Controller) 및 리튬폴리머 배터리 등을 포함한다. 모터변속기는 비행제어기로부터 PWM 신호들을 받아 모터들을 구동시키고, 배터리의 직류 전원을 교류로 바꾸어서 모터로 공급해 준다. 각각의 모터들은 별도의 모터변속기로 구동된다.

모터, 모터구동회로, 고전압 파워소자구동회로, 고전압 파워소자로 구성된 모터구동시스템은 전기에너지를 기계에너지로 변환하여 다양한 전자기기에서 모터를 구동 및 제어하는 역할을 하며, 모터구동시스템 기술은 교류전원을 사용하는 교류 모터구동시스템에 비해 제어가 용이하고 저가격인 직류전원을 사용하는 직류 모터구동 시스템으로 발전하고 있는 추세이며 최근에는 기존의 직류 모터구동시스템보다 고내구성, 저소음, 긴수명, 고효율 특성을 구비한 브러시 없는 직류(BLDC: Brushless Direct Current) 모터구동시스템에 대한 수요가 급증하고 있다.

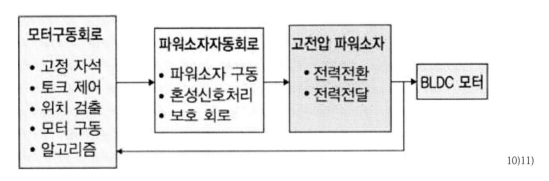

10)11)

[그림 5] BLDC 모터구동시스템 블록도

최근 에너지 위기와 환경규제 강화 등의 이슈가 대두되는 상황에서 에너지 절전형 BLDC 모터구동시스템 기술은 BLDC 모터 기술과 전력반도체 기술이 융합되어 해외 의존도가 매우 높은 BLDC 모터구동시스템 제품 등에 대한 수입대체 효과 유발 및 국내업체들의 시장 진입 기회 제공과 관련 산업분야 국가경쟁력 확보에 크게 기여할 핵심 기술 분야로 주목받고 있다.12)

드론에서는 모터의 추진력을 얻기 위해 브러쉬리스 모터와 전자변속기(ESC, Electronic Speed Controller)를 사용한다. 드론에서는 상대적으로 파워(토크)가 크고, 효율적이고 가벼운 브러쉬리스(Brushless) 모터를 사용한다. 브러쉬리스 모터는 외부 코일이 도는 아웃러너(Outru

---

10) 출처 : 포커스뉴스, 2016.04.09. [드론 기술의 미래]⑤ 놀이에서 치안까지 활용되는 민수용 드론
11) BLDC 모터구동시스템 기술동향, 2014, 한국전자통신연구원
12) BLDC 모터구동시스템 기술동향, 2014, 한국전자통신연구원

nner) 타입으로 브러쉬 모터 보다 힘이 좋으며, 모터내에서 전류가 공급되는 접촉면인 브러쉬와 커뮤테이터가 없어 수명이 오래 가고 발열도 적다. 또한 토크가 크므로 별도의 기어박스가 필요 없어 무게를 절약할 수 있다. 빠른 제어에 필요한 큰 토크, 작은 무게, 높은 효율, 긴 수명 등의 이유로 마이크로, 또는 나노 사이즈의 드론을 제외하고는 대다수 드론이 브러쉬리스 모터를 사용한다.[13]

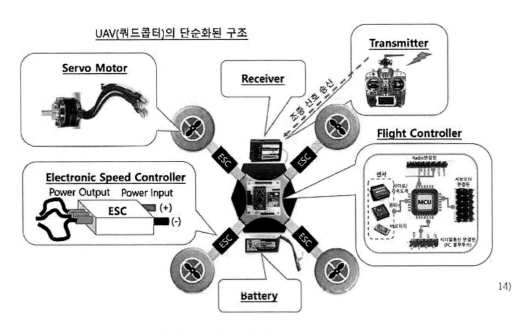

[그림 6] UAV(쿼드콥터)의 단순화된 구조

ESC는 센서에서 보내온 데이터를 기반으로 MCU가 보내온 신호대로 모터를 회전시켜 프로펠러를 통해 추진력을 발생시키는 역할을 한다. MCU는 모터가 충분한 추진력을 발생시킬 정도의 파워를 전달하게 설계되어 있지 않고, 단지 어느 정도의 파워를 발생시키라는 신호(PWM 형태)를 전자변속기에 보내준다. ESC는 MCU에서 전달된 신호에 따라 모터가 충분한 회전속도에 필요한 파워를 제공한다.

(4) 페이로드

'페이로드'는 드론의 사용 목적에 따라서 여러 종류의 화물이 탑재될 수 있는데, 항공 촬영을 위하여서는 비디오카메라, 멀티스팩트라 카메라, 하이퍼스팩트라 카메라, 적외선 카메라, 스팩트로미터, 초음파 센서, LiDAR, SAR 등 각종 EO(Electro-Optical) 센서들이 탑재될 수 있다. EO 센서들은 촬영 중 초점이 흔들리지 않게 해 주는 짐벌에 고정돼 있다. 항공촬영 이외에 드론에 장착되는 페이로드의 예로, 공기 중에 떠다니는 각종 세균 혹은 포자(즉, 씨)를 채집하는데 사용하는 스포 트랩(Spore Traps), 가스분석기, 농약 살포기, 로봇 암 등이 있다.[15]

---

13) 주식회사 열린친구 홈페이지, https://www.openmakerlab.co.kr
14) 출처 : 주식회사 열린친구 홈페이지, https://www.openmakerlab.co.kr
15) 포커스뉴스, 2016.0409. <드론 기술의 미래]⑥ 드론의 구조 - 포커스뉴스>

비행제어기
(Flight Controller)

지자기센서 (3-Magnetometers)
기압센서 (Barometric Pressure Sensor)

Push
프로펠러

Tractor
프로펠러

GPS 수신기

자이로스코프 (3-Gyroscopes)
가속도센서 (3-Accelerometers)

Push
프로펠러

Tractor
프로펠러

비디오
송신기

RC 수신기

모터

초음파센서

모터변속기 (ESC)

짐벌모터

짐벌모터

카메라

랜딩기어

LidAR

16)

[그림 7] 쿼드로터 드론 구조

---

16) 출처 : 포커스뉴스, 2016.0409. <[드론 기술의 미래]⑥ 드론의 구조 - 포커스뉴스>

4. 드론산업 생태계

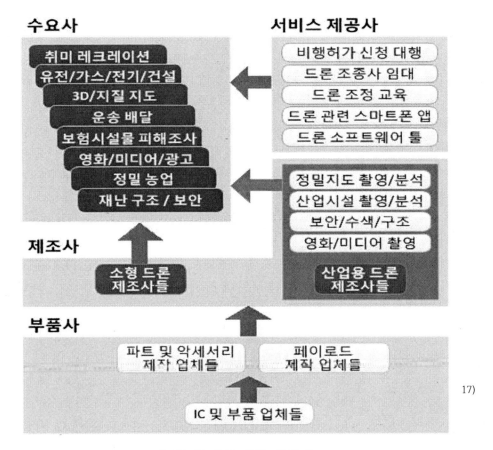

[그림 8] 드론 산업 생태계

드론 에코시스템은 부품업체, 드론 제조업체, 서비스 제공업체 및 수요자로 형성되고 있다. 드론 에코시스템에서 드론 제조업체들은 부품업체들이 제공하는 각종 파트 및 액세서리를 이용하여 드론을 제작하여 서비스 제공업체 및 수요자에게 공급한다.

산업용드론 제조업체들은 각종 EO 센서 들을 장착한 드론을 제작하여 정밀 항공촬영 및 데이터 분석 등의 전문성을 요하는 용역서비스를 직접 수요자들에게 제공하고 있다. 드론 비행 관련 각종 소프트웨어 툴을 제공하는 업체들도 있고, 드론 조정 교육 및 드론 조정사 임대 서비스 제공업체들도 있다.

드론 수요자는 취미 및 레크리에이션을 위한 일반 소비자들과 경비절감 및 생산성 향상을 위하여 드론을 이용하는 각종 산업체 및 민관기관들이다. 산업용 드론 수요자들은 드론과 페이로드를 직접 구매하여 사용하거나 혹은 산업용 드론 제조업체들에게 용역서비스를 제공 받기도 한다. 드론 부품업체들은 IC 업체들, 파트 제조사들 및 각종 페이로드 제작 업체들로 세분화 된다.

---

17) 출처 : 포커스뉴스, 2016.04.13. <[드론 기술의 미래]⑬ 드론 에코시스템

따라서 드론 제조업체들은 비디오 카메라가 탑재된 레크리에이션용 소형 드론 제조업체들과 각종 정밀 EO 센서들이 탑재된 산업용드론 제조업체들로 구분된다. 산업용드론 제조업체들은 특수 목적의 산업용 드론을 제작하여 3D 지도제작, GIS 지도 제작, 토양 분석, 송유관, 유전, 건설현장 등의 산업시설 항공촬영 및 촬영 데이터 분석 서비스를 관련 수요업체들에게 직접 제공한다.

IC 업체들은 저전력 마이크로프로세서, 각종 센서 칩들, 각종 RC 모뎀칩들, WiFi 모뎀칩, GPS 수신기 칩 그리고 각종 Discrete 칩들을 개발하여 파트 제조업체들에게 제공한다. 현재 Atmel사와 ST Micro사가 센서 IC 분야의 선두 업체들이다. 미국 Ambarella사의 경우 직접 카메라 ISP 칩을 개발하여 레저 스포츠 용 소형 비디오 카메라를 생산하고 있다.

환경 등을 모니터링하는 수요가 늘면서 다양한 센서들에 대한 관심도 커지고 있는데 방사선을 측정할 수 있는 센서나 초음파 센서, 심지어는 무인자동차에 이용되던 레이저레이더 (LIDAR)와 유사한 기능을 하는 소형레이더를 소비자 드론에 장착시킬 수 있도록 하는 에코다인(Echodyne) 등의 스타트업에 대한 관심도 높아졌다.

또한 페이로드 제작업체들은 HD급 비디오 카메라, 멀티스팩트라 카메라, 적외선 카메라, LiDAR, 초음파센서 및 SAR 등 각종 EO 센서들을 소형화하여 산업용드론 제조업체들에게 공급한다. FluxData사, Phoenix사, Vinctronix사 및 imSAR사 등을 예로 들 수 있다. 드론에 장착하는 카메라가 필수가 되면서 이미 뛰어난 액션 카메라 브랜드로 세계적인 히트 상품을 내고 있는 고프로(GoPro)를 필두로 액션 카메라 기업들이 주가를 올리고 있다.

최근에는 농업용 드론에 대한 관심이 상승하면서 병충해가 들었거나 가뭄 등을 쉽고 빠르게 알 수 있고, 이에 대응할 수 있도록 하는 멀티스펙트럼(multispectral) 카메라를 개발하는 기업들과 같이 고성능 카메라를 만드는 곳들도 같이 주목받고 있다.

농업 분야에서는 콜로라도에 기반을 둔 로보플라이트(RoboFlight)가 현재 3가지 유형의 서로 다른 기능을 가진 드론을 판매하고 있다. 사업이 커지면서 농업에 대한 데이터 시각화에 대한 수요가 증가해서 최근 데이터를 해석하고 시각화하는 소프트웨어 회사인 애그픽셀(AgPixel)을 인수했다. 오레곤에 기반을 둔 허니컴(Honeycomb)은 드론과 드론에 대한 카메라와 센서뿐만 아니라 데이터 매핑과 처리 서비스를 같이 제공한다. 이처럼 하드웨어에 특정 산업과 연관된 소프트웨어가 통합된 기업들도 전문화된 기업으로서 성장할 가능성이 높다.

알리바바 및 아마존 등 온라인 업체들과 배달업체인 DHL은 직접 드론을 구매하거나 제작하여 물품 배달을 시험 중에 있다. 일반 소비자용 드론 제조업체로는 중국의 DJI사가 선두를 달리고 있다. 산업용드론 제작 및 정밀 항공촬영 서비스 제공업체는 Sky Futures사, SenseFly사, DroneDeploy사, Altavian사 등을 예로 들을 수 있다. Garuda사는 드론을 이용한 보안, 수색 및 정찰 서비스를 제공하고 있다.

드론 소프트웨어 서비스 업체들은 드론 비행계획 수립 및 비행조정 관련 각종 소프트웨어 툴을 제공한다. Skyward사의 경우 자신들이 직접 제작한 항공지도와 함께 드론 비행을 위한 각종 장비들 및 비행허가서를 포함한 각종 관련서류 준비, 비행계획 수립, 비행 중 데이터 로깅 (Logging)을 위한 소프트웨어 툴을 제공한다.[18]

 또한 이들이 수집하는 데이터를 쉽게 저장하고, 처리할 수 있도록 하는 데이터 플랫폼의 중요성도 높아진다. 특히 B2B용 드론의 경우 산업별로 데이터 분석과 관련해 전문지식과 서비스가 결합한 다양한 서비스 기업들이 등장할 것이다. 이미 영화산업의 경우 드론 없이는 블록버스터 영상이 나오지 않는다는 이야기가 나올 정도로 드론의 사용이 일반화되면서, 여러 기업이 영화촬영용 전문드론을 상업화하거나 기존 드론에 최고의 카메라 장비를 장착해서 서비스하는 기업들이 등장하고 있다.

 그밖에도 드론의 비행성능을 개선할 수 있도록 커스텀화된 IC칩을 생산하는 부품기업들이나 표준화된 보드와 임베디드 소프트웨어 기업 등도 감안하면 드론 시장에 의한 전반적인 생태계의 크기는 단순히 드론의 판매로 인한 시장의 크기 이상이라고 볼 수 있다. 자동차와 마찬가지로 연관기술 및 부품, 소프트웨어, 서비스 등 파생되는 산업의 크기가 크고, 앞으로 활용되는 영역이 넓어지면서 더욱 그 생태계의 크기는 커질 전망이다.[19]

---

18) 포커스뉴스, 2016.04.13. <[드론 기술의 미래]⑬ 드론 에코시스템>
19) 청년의사신문, 2015.05.08. <[칼럼]드론, 연관산업과 생태계를 같이 봐야 한다.>

5. 드론 플랫폼

IT환경에서 플랫폼은 항상 강조되고 있다. 초기에는 컴퓨터의 마이크로프로세서나 운영체제(OS)가 플랫폼으로 인식됐지만, 지금은 미들웨어, 각종 기술 표준 등에 모두 사용된다. 드론 산업에서도 이제 각종 SW를 비롯한 OS를 넘어 플랫폼으로 경쟁의 폭이 넓어지고 있다.

드론에 부가되는 기능이 많아지면서 SW가 관리해야 할 센서와 부품, 기능 등이 많아졌기 때문이다. 플랫폼이란 다양한 종류의 주체들을 모으고 이들을 활용할 수 있는 매개 지점이라는 뜻으로 사용된다. 즉, 새로운 기능을 구현할 수 있는 핵심을 말한다.

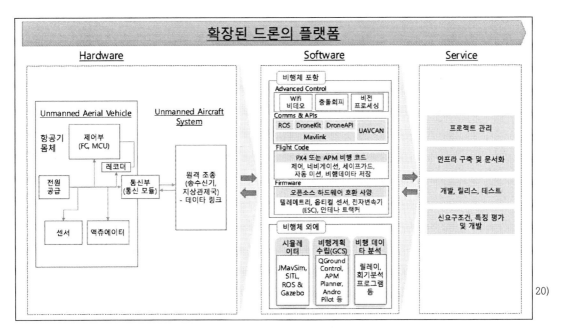

[그림 9] 확장된 드론의 플랫폼

드론은 철저하게 HW로부터 시작됐다. 최초 군사적 목적에 의해 개발돼 정찰, 감시, 폭격용도로만 여겨졌다. 그러다 민간 시장에서 영상촬영, 농업, 물류 운송 등 다양한 분야로 확산되면서 빠르게 성장하고 있다.

드론 시장의 성장과 관련된 가장 중요한 핵심사항은, 무엇보다 드론 플랫폼의 중요성이 계속커질 것이라는 사실이다. 최근 추세를 보면 IT의 모든 분야에서 단순 하드웨어보다는 소프트웨어와 서비스를 통한 응용 및 가치 창출이 중요해지면서 플랫폼의 역할이 계속 커지고 있다. 플랫폼은 운영체제와 개발도구를 제공하며 협력업체들은 이를 통해 손쉽게 응용프로그램을 개발할 수 있다. 이와 같은 플랫폼 중심의 생태계 문화는 PC, 스마트폰을 거쳐 사물인터넷, 스마트카, 로봇 등 분야를 막론하고 확산되고 있다. 드론 또한 예외일 수 없다.

---

20) 출처 : https://www.openmakerlab.co.kr

실질적인 응용사례와 그것을 통한 가치 창출이 중요하다는 점에서, 다양한 하드웨어를 손쉽게 접목하고 다양한 애플리케이션을 신속하게 제작할 수 있는 드론 플랫폼이야말로 필수적이다. 드론 플랫폼은 UAV 플랫폼 또는 항공정보(Aerial Information) 플랫폼이라고도 불린다.

최근 들어 드론 시장에서도 플랫폼 전쟁이 시작되고 있다. 우선 미국 샌프란시스코의 전동헬기 기업인 에어웨어(Aireware)는 2015년 4월 드론 OS '에어리얼 인포메이션 플랫폼(Aerial Information Platform, AIP)'을 공개했다.

에어웨어(Aireware)는 표준화된 민간 드론 운영체제를 최초로 선보인 대표적인 드론 플랫폼 전문기업이다. 에어웨어는 다양한 하드웨어 지원 및 드론 앱 개발 환경을 제공한다. 에어웨어는 카메라를 이용해 장애물을 확인하면 자동으로 경로를 변경하는, 장애물회피 시스템을 탑재해 안전한 비행을 할 수 있다.

AIP는 간단한 설정을 통해 목적지까지 드론이 안전하게 운행할 수 있는 시스템이 갖춰져 있으며, 비상상황에도 대처할 수 있는 프로그램을 탑재한 것이 특징이다. 특히 애플리케이션을 통해 다양한 임무를 손쉽게 수행할 수 있으며, 태블릿, PC, 스마트폰 등 다양한 기기와의 연동도 가능하다. 에어웨어의 드론 플랫폼은 크게 다음과 같은 4가지 구성요소로 구분해볼 수 있다.

플라이트 코어 (Flight Core)	드론 플랫폼의 허브로, 드론에 장착되는 각종 하드웨어 및 센서와 연결돼 자율비행을 수행한다.
앱 코어 (App Core)	운영체제를 탑재하고 있으며 API를 제공해 하드웨어와 소프트웨어를 구동하는 애플리케이션을 개발할 수 있다.
클라우드 (Cloud)	운항 계획 관리, 준법 지원(Compliance), 데이터 관리, 정보 공유 등을 지원한다.
지상관제 소프트웨어 (Ground Control Station Software)	지도를 이용해 비행 계획을 수립하고 드론이 안전하고 정확한 비행을 할 수 있도록 지원한다.

[표 2] 에어웨어 구성요소

현재 에어웨어는 드론 관련 업체들 중에서 가장 뜨거운 주목을 받고 있다. 구글벤처스(Google Ventures), 인텔캐피털(Intel Capital), 앤드리센호로비츠(Andreessen Horowitz), GE벤처스(GE Ventures), 와이컴비네이터(Y Combinator) 등의 유명 투자사들이 에어웨어에 지금까지 총 4000만 달러 이상의 금액을 투자했다. 추가로 최근 인텔과 GE로부터 미공개 금액의 투자 두 건이 있다. GE와의 자세한 계약 내용은 알려지지 않았지만, GE의 여러 산업용 솔루션에 에어웨어의 드론 기술을 적용할 것으로 전망된다.

에어웨어는 개인용 드론보다는 기업용 드론에 초점을 맞추고 있다. 기업용 드론이야말로 지속적이고도 큰 규모의 수익을 창출할 가능성이 높기 때문이다. 에어웨어는 전력선점검, 채광 작업 조사, 송유관 점검 등 기업을 위한 드론 서비스를 제공하고, 이를 통해 수익을 창출하는 것에 관심을 갖고 있다. 2015년 5월 에어웨어는 엔터프라이즈 드론 생태계(Enterprise Drone Ecosystem) 구축을 위해 드론 스타트업에 투자를 하는 상업용 드론펀드(Commercial Drone Fund)를 조성한다고 밝혔다.[21] 이를 통해 센서와 SW, 클라우드 기반 데이터 분석, 서비스, HW와 SW를 결합한 솔루션 등 드론과 관련된 5개 영역의 스타트업을 지원하겠다는 목표다.

여기에 드론계의 애플로 불리는 중국의 드론업체 'DJI'는 7500만 달러(약 831억원 규모)의 스카이펀드를 조성했다. 매핑(Mapping), 이미지 등 애플리케이션이나 컴퓨터 비전 등을 결합한 새로운 종류의 드론을 개발하겠다는 목표다.

DJI는 최초로 드론을 개발한 곳은 아니지만 드론을 산업으로 만든 기업으로 평가된다. 특히 DJI는 드론에 대한 특허를 전 세계에서 가장 많이 보유하고 있어 사실상 표준으로까지 불린다. 로이터에 따르면 드론 사용을 인가받은 업체 중 47%가 DJI 제품을 사용하고 있으며, 인증 대기중인 695개 업체들 중 400개(57.5%) 업체가 DJI제품 등록을 기다리고 있다. 특히 DJI는 HW와 SW, 주변기기를 모두 개발하고 있으며, 최근에는 OS를 결합한 드론 플랫폼을 제공하겠다고 선언한 바 있다.

DJI는 플랫폼 개발을 목적으로 2015년 유명 벤처투자사 액셀(Accel)로부터 7500만 달러를 투자 받았다. 지난 2014년 세쿼이어캐피털(Sequoia Capital)로부터 투자 받은 3000만 달러를 합해 총 1억 500만 달러의 투자를 받은 것이다. DJI의 기업가치는 무려 80~100억 달러에 달하는 것으로 추산되고 있다. 액셀은 100여개가 넘는 드론 전문기업들을 검토한 끝에 DJI에 투자한 것으로 알려져 있다. 에어웨어와 DJI 두 업체가 조성한 펀드의 투자분야는 조금씩 다르다. 하지만 업계에서는 이들의 펀드 조성 목적이 드론 플랫폼 업체로 성장하기 위한 주도권 획득이라는데 이견이 없다.

오픈진영에서도 드론 플랫폼 경쟁에 본격 참여하고 있다. 비영리연합체인 리눅스재단은 3D 로보틱스와 바이두, 유닉, 인텔, 퀄컴 등을 비롯해 다국적 SW기업과 HW업체, 통신사들이 참여하고 있는 '드론코드 프로젝트'를 시작했다. 오픈소스를 기반으로 한 공통 플랫폼을 개발해 드론에 적용하겠다는 목표다. 또 전 세계 6000여명의 개발자가 모인 오픈파일럿 프로젝트도 존재한다. 드론코드 프로젝트와의 차이점은 개발자 중심이라는 것이다. 이 때문에 커뮤니티의 성격이 강하며, OS를 비롯해 드론 HW를 함께 개발하고 있다.

범용 드론 플랫폼뿐만 아니라 전문 분야에 특화된 플랫폼 및 소프트웨어도 속속 등장하고 있다. 프리스카이스(Freeskies)는 드론의 자율비행을 지원하는 3D 지도와 시각화(Visualization) 소프트웨어를 제공하고 있다. 프리스카이스의 코파일럿(CoPilot) 앱을 이용하면 비행할 장소를 사전에 3D 지도를 통해 확인할 수 있고 이를 이용해 비행계획을 수립하면 드론이 그대로 비행을 하게 된다.

---

21) 플랫폼으로서의 드론과 시사점, 2015, 류한석

퍼셉토(Percepto)는 드론을 위한 컴퓨터비전(Computer Vision) 플랫폼을 제공한다.엔비디아 테그라 K1(NVIDIA Tegra K1)에 기반 한 하드웨어 모듈과 자사의 컴퓨터비전 소프트웨어 기술을 통합한 오픈소스 플랫폼을 개발하고 있다. 퍼셉토는 이를 이용하는 개발도구(SDK)를 제공해 드론이 사용자를 식별해 따라다니게 하는 등 사람과 사물을 인식하고 처리하는 걸 손쉽게 할 수 있도록 해준다.

업계 한 관계자는 "플랫폼을 선도할 경우, 플랫폼 자체의 매출 뿐 아니라 SW, HW 시장을 모두 지배하거나 다양한 신규 시장을 발굴할 수 있는 효과가 있다"며 "성장세에 접어든 드론 시장에서의 플랫폼 경쟁은 보다 가속화될 것"이라고 말했다.[22]

현재 전 세계적으로 드론 플랫폼에 뛰어든 기업의 수는 50~100여개에 달하는 것으로 추정된다. 이렇듯 수많은 업체들이 드론 플랫폼에 뛰어들고 있는 이유는, 다른 플랫폼 산업과 마찬가지로 드론 분야에서도 플랫폼을 장악한 업체가 시장을 장악할 것이기 때문이다.[23]

---

22) IT조선, 2015..07.19. <드론, 이제는 플랫폼 전쟁이다>
23) 플랫폼으로서의 드론과 시사점, 2015, 류한석

II. 용도별 드론현황

II.용도별 드론현황

드론(Drone)은 군사용으로 개발되던 초기에는 표적드론(Target Drone), 정찰드론(Reconnaissance Drone), 감시드론(Surveillance Drone), 다목적 드론(Multi-roles Drone)으로 분류되었지만 현재는 활용 목적과 형태에 따른 분류를 하고 있다. 활용 목적으로 분류하면 초기 개발 목적 이였던 군사용 드론, 농업용 드론, 서비스 드론, 여가용 드론 등으로 분류되고, 형태로 분류하면 고정익과 회전익(로터리)으로 분류된다. 드론의 어원은 '벌이 윙윙 거린다'라는 뜻의 영어 단어에서 나온 것을 보면 일반적인 용어로 회전익 드론을 지칭하는 것으로 보인다.

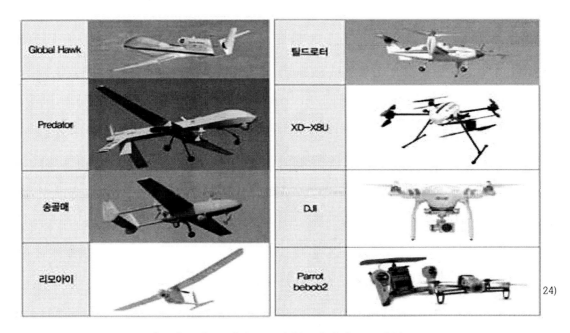

[그림 10] 고정익 드론(좌), 회전익 드론(우)

고정익 드론은 조종사와 조정석이 없다는 것을 제외하고는 일반 비행기와 구조적으로 동일하다. 일반 비행기처럼 방향키, 승강키 및 가동익을 이용해 비행을 조정한다. 장거리 비행을 요하는 군사 분야와 산업시설 점검, 국경 감시 등의 분야에 사용된다.

또 고정익 드론은 프로펠러 엔진을 장착할 수 있어서 비행속도가 빠르며 날씨 변화에 영향을 적게 받고 적재화물 무게에 제한이 적다는 장점이 있다. 단점은 이착륙을 위해 활주로가 필요하고 빠른 속도로 비행하기 때문에 밀리미터 단위의 해상도를 갖는 항공사진을 촬영하기 힘들다. 회전익(로터리) 드론은 모터와 프로펠러가 수평으로 장착돼 있어 상하좌우 어느 방향으로도 비행할 수 있으며 좁은 공간에서 정교한 비행이 가능하다. 덕분에 수색 및 구조, 산불 감시, 소형 물품 배달, 동영상 촬영 등 중저속으로 단거리 비행을 요하는 각종 산업 및 레저 분야에 이용되기 시작했다. 또 수직 이착륙이 가능하고 공중에서 정지하는 호버링(Hovering) 기능을 이용해 밀리미터 단위의 고해상도 이미지 촬영이 가능하다.

---

24) 출처 : 무인기드론의 이해와 동향, (주)엑스드론

반면에 배터리를 사용하는 소형 전기모터들로 구동되기 때문에 화물 적재량에 제한이 있고 통상적으로 30분 이내로 비행시간이 제한된다.

로터리 드론이 안정적으로 비행하기 위해서는 최소한 4개의 모터가 필요하다. 비행 중 어느 한 모터가 정상 동작하지 않을 때 추락을 방지하고 화물 적재량을 늘리기 위해 로터가 6개 혹은 8개 달린 헥사로터, 옥타로터 드론도 있다.

수직 이착륙 전투기들이 회전형 엔진 배기구를 이용해 수직으로 이착륙을 하듯, 드론도 수직 이착륙 전투기와 비슷한 형태를 띠기도 한다. VTOL 드론은 고정날개 구조에 프로펠러가 모터들을 추가로 장착해 이착륙 시에는 프로펠러의 방향을 위로 향하도록 해 상승 추진력을 갖게 한다. 드론이 비행 고도에 올라가면 프로펠러들의 방향을 앞으로 돌려서 앞으로 날아가게 한다. 고속 장거리 비행이 가능한 고정날개 드론의 장점과 수직 이착륙이 가능한 로터리 드론의 장점을 둘 다 갖춘 구조이다.[25]

Arcturus UAV 사의 JUMP-20
VTOL 드론 (출처: Arcturus)

Airbus Group사의 Quadcruiser
VTOL 드론 (출처: Airbus Group)

[26]

[그림 11] VTOL 드론

나노(Nano)드론은 손바닥 크기의 휴대성이 좋은 드론으로 30m의 정도의 고도에서 5-10분간 동작이 가능하며, 와이파이 등을 통해 모바일 기기와 연결되어 실시간으로 영상이 공유되는 것을 특징으로 한다. Dragonfly, Hummingbird, Black hornet, Roachbot과 같은 모델이 나노드론의 범주에 속하며, 현재 다양한 군사적 목적으로 활용되고 있다. 나노드론은 향후 보안과 감시 분야에서 활발히 쓰일 것으로 기대된다.

하이브리드 드론은 고정익과 회전익을 결합한 형태의 드론으로 호버링이 가능하며, 비행속도와 체공시간이 고정익에 준하는 성능을 낸다. xCraft사에서는 XPlusOne이라는 하이브리드 드론을 출시하였고, 구글 역시 2014년 8월에 드론 배송 시험을 위해 4개의 로터를 지닌 하이브리드 드론을 개발한 바 있다.[27] 드론은 또한 용도에 따라 구분할 수 있다. 드론의 비행 목적은 페이로드[28]를 탑재하고 비행하는 것이다. 페이로드 종류가 군사용이면 군사용 드론이 되고 민수용이면 민수용이 드론이 된다.

---

25) 포커스뉴스, 2016.04.13. <[드론 기술의 미래]③ 드론의 구분>
26) 출처 : 포커스뉴스, 2016.04.13. [드론 기술의 미래]③ 드론의 구분
27) 상용드론 시장의 현황과 전망, 2016, 한국항공우주연구원
28) 페이로드(Payload): 드론의 양력과 추력에 의해 공중으로 들어 올리는 힘으로 기체의 무게는 제외

1. 군사용 드론

군사용 드론의 비행 목적은 적의 상공에 진입하여 ISR(Intelligence, Surveillance and Reconnaissance), 즉 정보 수집, 정찰 및 수색 임무를 수행하는 것이다. 정찰과 수색은 의미가 다르다. 정찰은 몰래 적 진영에 잠입해 정보를 수집하는 것이고, 수색은 교전수칙을 갖고 특정 지역에 들어가서 적 혹은 적의 시설물을 색출하고 필요시에는 타격을 하는 것이다.

군사용 드론의 경우, 1930년대부터 해군의 대공포 사격훈련을 위한 가상타깃 드론이 사용되기 시작했다. 1970년대부터는 카메라가 장착된 정찰용 드론이 운용되기 시작하였으며, 1980년대부터는 관성항법장치(Inertial Navigation System), GPS 수신기 및 정밀유도탄 등이 장착된 공격용 드론이 전쟁에서 사용되기 시작했다.

군사용 드론이 현대 전쟁에 최초로 사용된 것은 1973년 이스라엘과 이집트 간의 욤키푸어(Yom Kippur) 전쟁인데, 이스라엘 군이 미국의 리안 화이어비(Ryan Firebee)라는 대공포 사격훈련용 가상타깃 드론들을 이집트군 상공으로 띄워 이스라엘 전투기로 오인한 이집트 군의 대공포 사격을 유도했고, 이집트 군의 대공포 탄약이 완전히 소진된 후 이스라엘 전투기들이 이집트 군을 공격했다고 한다.

공격용 드론이 현대 전쟁에 최초로 사용된 것은, 1984년 이란 군이 지체 개발한 모헤질(Mohajer)이라는 드론에 여섯 문의 RPG-7 대전차 로켓포를 장착해 이라크 군을 공격한 것이라고 한다.

미국이 공격용 드론을 전쟁에서 최초로 사용한 것은 2002년 4월 아프가니스탄에서 CIA가 헬파이어(Hellfire) 공대지미사일을 장착한 RQ-1 프레데터(Predator) 드론을 사용해 오사마 빈라덴 휘하 911 테러작전의 총책임자인 모하메드 아티크(Mohamed Atiq)와 그의 부하 100여 명을 사살한 것이라고 한다.

군사용 드론은 저고도 국지 정찰용 드론, 고고도 장거리 정찰용 드론 및 공격용 드론 등 다양한 형태로 개발되고 있다. 미국 국방부는 군사용 드론의 명칭을 'Q'는 무인기, 'R'은 정찰용(Reconnaissance), 그리고 'M'은 다목적용(Multi-role 즉, 정찰 및 공격)으로 구분하고 있다.

정찰용 및 공격용 드론의 개발과 별도로, 연식이 오래된 퇴역 전투기들은 타깃 드론으로 변형돼 사용되기도 한다. 예를 들어, 1940년대에 생산된 F-100(세이버), F-102(델타대거), F-104(스타파이터) 및 F-106(델타다트) 등의 2세대 전투기들은 각각 QF-100, QF-102, QF-104, QF-106로 명명돼 대공포 사격 훈련용 가상타깃 드론으로 활용됐다. 1950년대에 생산된 3세대 전투기인 F-4 II 팬텀기는 QF-4로 명명돼 최근까지 미사일 훈련용 가상타깃 드론으로 사용됐다.

29)

[그림 12] AV사의 RQ-11 레이번 저고도 정찰용 드론(좌),
AAI사의 RQ-7 쉐도우 중고도 드론(우)

소형 정찰용 드론의 예로는 미국 AeroVironment사의 RQ-11 레이번(Raven)과 미국 AAI사 RQ-7 쉐도우(Shadow)가 있다. 전기 모터를 사용하는 RQ-11 레이번은 병사가 한 손으로 날릴 수 있고, 약 10km의 작전반경에서 150m 고도로 최대 80분 동안 GPS 경로비행(GPS Waypoints Navigation)을 할 수 있으며, 드론에 장착된 EO(Electronic Optical) 센서 및 IR(Infrared) 센서를 이용해 사진, 동영상 및 적외선 이미지를 실시간 지상통제소로 전송을 해줄 수 있다(EO 센서 및 IR 센서를 합쳐서 EO/IR 센서라 부름).

로터리 엔진을 사용하는 RQ-7 쉐도우는 소형 발사대를 이용하여 이륙시키며 약 100km의 작전반경에서 2.5km 고도로 최대 6시간 비행하면서 EO/IR 센서 이외에 레이저를 이용해 타격 목표물의 위치 좌표를 지상에 전송해 줄 수 있다.

Northrop-Grumman사의 RQ-4 글로벌호크(Global Hawk)는 고고도 정찰용 드론으로 영국 롤스로이스사의 터보팬 제트엔진을 사용하며 SAR, GMTI 레이더 및 EO/IR 센서 포함 최대 1360kg의 페이로드를 적재하고 2만2800km의 작전반경에서 18km 고도로 최대 34시간 비행이 가능하다고 한다. SAR과 GMTI 레이더는 두 기능을 합쳐서 하나의 레이더로 만드는 추세이고 SAR/GMTI 라고 부른다.

현재 아프가니스탄, 중동, 예멘 등지의 국지전에서 많이 사용되고 있는 공격용 드론은 미국 General Atomics사가 개발한 MQ-1 프레데터(Predator)와 MQ-9 리퍼(Reaper)이다. 대당 가격이 천만 달러에서 이천만 달러 정도이고, 370KPH의 비행속도로 2000km의 작전반경이 가능하고, AGM-114 헬파이어 공대지미사일, GBU(Guided Bomb Unit)-12 Paveway II 레이저 유도탄 및 GBU-32/38 JDAM(Joint Direct Attack Munition) Inertial/GPS 유도탄을 장착할 수 있다.

---

29) 출처 : AeroVironment, AAI

General Atomics사의 MQ-1 프레데터 공격
용 드론 (출처: General Atomics)

General Atomics사의 MQ-9 리퍼 공격용
드론 (출처: General Atomics)

[그림 13] 공격용 드론

중국은 재래식 피스톤 엔진을 사용하는 CH-4 공격용 드론을 생산 중이다. CH-4 드론의 모양이 엔진 공기 흡입구의 위치만 제외하고 MQ-9 리퍼와 흡사해 중국이 사이버 공격으로 리퍼 설계기술을 도용한 것으로 의심하는 시각도 있다. 중국은 현재 CH-4 공격용 드론을 이집트, 사우디아라비아, 이라크 등에 수출하고 있는 것으로 추정된다고 한다. 최근 군사용 드론은 스텔스(Stealth) 기능 및 첨단 레이더 탐지 기능을 갖추고 있다.

2010년부터 (시험) 운용 중인 미국의 프레데터-C 어벤져(Avenger) 공격용 드론의 경우 MQ-9 리퍼와 동일한 무장 탑재 능력을 갖추고 있으며 추가로 적의 적외선 및 레이더 탐지에 대한 스텔스 기능, 연속적인 도플러 Correlation을 이용하여 탐색 정밀도를 향상 시켜주는 SAR, 전자광학타깃시스템(EOTS: Electro-Optics Target System) 및 수백 개의 목표물을 동시에 추적할 수 있는 IRST(Infrared Search and Tracker) 등을 장착하고 있다.

기존의 RQ-4B 글로벌호크 고고도 무인정찰기를 대체하기 위하여 미국 Northrop-Grumman사가 개발하여 현재 시험비행 중인 RQ-180 드론은 최첨단 스텔스 기능과 함께, 능동주상배열 안테나(Active Phased Array Antenna)를 이용해 특정 방향으로 원격탐지범위를 늘려주는 AESA 레이더(Active Electronically Scanned Array), 강력한 전자기파를 발사해 전자장비들을 교란시킬 수 있는 EMP(Electromagnetic Pulse) 장비를 탑재하고 약 18㎞의 고도에서 24시간 비행이 가능하다고 한다.

고고도 장거리 군사용 드론들은 군사위성과 GPS를 이용해 비행을 제어한다. 공격용 드론의 경우, 드론이 가시거리 내에 있을 경우에는 지상통제소가 비행을 조정하지만, 드론이 가시 거리에서 벗어나는 지점부터는 군사위성 및 GPS 위성을 통해 비행을 제어하고, 드론과 위성들 간에 통신 링크가 끊어질 경우 드론은 통신 링크가 다시 접속 될 때까지 선회 비행을 하거나 이륙 지점으로 되돌아온다(Return Home).

---

30) 출처 : 포커스뉴스, 2016.04.09. [드론 기술의 미래]④ 전쟁의 방식을 바꾼 군사용 드론

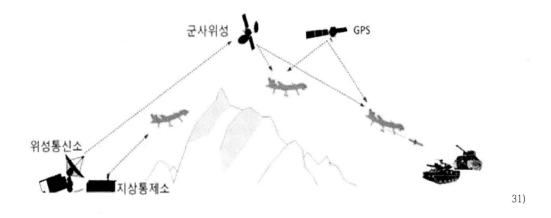

31)

[그림 14] 공격용 드론의 제어링크

현대전에서 드론을 활용한 정찰·공격 등 군사활동이 본격화하면서 이를 방어하기 위한 '안티드론' 기술 개발에도 글로벌 방산업계가 열을 올리고 있다. 미국 국방과정부발전협회(IDGA)가 발간한 '대(對)드론 방호체계 전략' 보고서에 따르면 미국 국방부는 지난해 안티드론 기술 개발에 예산 9억달러(약 1조400억원)를 쏟아부었고, 2020년에도 5억달러(약 5800억원)를 투자할 방침이다. 대드론 방호체계란 적 무인기를 교란하고 무력화시키기 위한 시스템을 의미한다.

대표적인 미국 방산업체인 록히드마틴은 2019년 11월 레이저 빔으로 적 드론을 격추시키는 '아테나(Athena·Advanced Test High Energy Asset)' 시스템 성능 시연회를 성공리에 마치기도 했다. 우리나라 역시 국방과학연구소(ADD)가 2023년 전력화를 목표로 드론을 요격하는 레이저 대공 무기 개발을 진행 중이다.

조종사 운동신경세포를 드론에 연결시켜 생각만으로 드론을 원격 조종하는 기술도 개발되고 있다. 미국 최첨단 무기 산파역인 국방고등연구계획국(DARPA·다르파)은 지난해부터 1억400만 달러(약 1200억원)를 들여 '차세대 비수술 신경공학' 프로그램에 대한 연구를 진행 중이다. 1990년대에 최초로 개발된 뇌·컴퓨터 인터페이스가 두피에 설치한 전극으로 뇌파를 해석해 컴퓨터 커서를 움직였듯이 신경의 미세한 움직임으로 드론을 제어하는 게 이 프로그램의 목표다.32)

31) 출처 : 워싱턴 포스트
32) '핀셋 타격' 리퍼부터 '드론 잡는' 드론까지…군사용 드론 어디까지 왔나, 매일경제(2020.01.10.)

2. 민수용 드론

2000년대 스마트폰의 비약적인 발전으로 인한 소형 리튬폴리머(LiPo) 배터리 및 MEMS (Micro Electro-Mechanical Systems) 센서 칩들의 양산은 저가의 소형 민수용 드론을 탄생시켰다.

민수용 드론은 영리를 목적으로 운용되는 상업용 드론과 취미를 목적으로 운용되는 레크리에이션용 드론으로 구분된다. 상업용 드론은 지도 제작, 국경 감시, 재난 구조, 산업시설 점검, 교통량 조사, 물품배달 등 다양한 목적으로 운용되고 있다.

현재 세계 각국은 민수용 드론의 사용 목적 및 드론의 무게 등을 기준으로 드론 등록 여부, 비행 허가, 비행 시간대, 비행 거리, 비행 고도 및 비행금지구역 등을 엄격하게 관리하는 드론 관련법을 제정하고 있다.

(1) 레크리에이션용 드론

레크리에이션용 드론은 장난감 드론, 경주용 드론 및 FPV(First Person View) 드론 등이 있다. 장난감 드론 및 경주용 드론은 특별한 페이로드가 없이 조정자가 가시거리(Line Of Sight - LOS)에서 드론이 날아가는 것을 보면서 원격조정기를 이용해 드론의 비행을 조정한다.

FPV 드론은 지상의 원격조정자가 드론이 몸체 정면에 위치한 비디오카메라를 이용하여 실시간으로 보내오는 전면촬영 동영상을 보면서 마치 자기가 드론에 타고 있는 것처럼(Bird-eye View라고 부름) 드론을 조정할 수 있다. 원격조정자가 비디오 수신기가 부착된 FPV용 고글을 쓰고 전면촬영 동영상을 보면서 머리 제스처로 드론의 비행을 조정할 수도 있다. 레크리에이션 드론은 동영상 카메라 이외에 특별한 페이로드가 필요하지 않기 때문에 소형 전기모터가 4개가 장착된 쿼드로터 드론이 주로 이용된다.

(2) 항공 촬영용 드론

지정된 GPS 비행경로를 따라서 상하 좌우로 천천히 비행하면서 밀리미터 단위 해상도의 사진을 촬영할 수 있는 드론만의 유일한 기능은 3D 지도 제작, DTM(Digital Terrain Model) 및 DEM(Digital Elevation Model) 등 지리정보시스템(GIS: Geological Information System) 제작, 토양 분석, 정밀 농업(Precision Agriculture), 송유관 및 송전선 등 각종 산업시설 점검에 광범위하게 이용되고 있다.

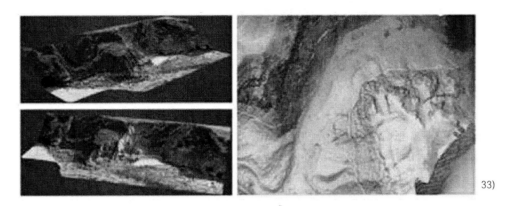

[그림 15] 드론이 촬영한 3D 사진 및 DTM사진

3D 지도 촬영의 경우, 드론 한대가 하루에 수 백 평방킬로미터 지역을 GPS 경로비행을 하면서 촬영 각도를 조금씩 바꾸어서 80%~90% 겹친 영상들을 수 천 장 촬영할 수 있다. 사람이 조정하는 헬리콥터나 비행기로는 도저히 불가능한 작업이다. 정밀 농업 분야에서는 드론에 멀티스펙트라 카메라를 탑재해 광범위한 지역의 토양 분석 및 수분 또는 해충 등으로 인한 농작물의 스트레스 및 성장 상태를 분석할 수 있다.

(3) 수색 및 구조용 드론

2015년 7월 영국의 RTS Ideas사는 해수욕장 안전을 위한 로보가드(Roboguard)라 부르는 헥사로터 드론을 발표하였다. 로보가드는 동영상 카메라와 3개의 구명 튜브를 탑재하고 GPS 경로비행을 이용하여 30KPH의 비행속도로 반경 8km의 범위를 비행하면서 해수욕장 바다를 촬영하여 지상의 지휘소로 보내준다. 해상 조난자가 발견되면 지상에서 드론에 장착된 페이로드 투하장치를 원격으로 조정하여 조난자에게 고무튜브를 하나씩 투하시킬 수 있다고 한다. 드론의 배터리는 바다 위에 떠있는 대형 튜브 위에서 태양열을 이용해 충전한다.

2015년 10월 호주의 뉴사우스웨일즈 주는 드론을 이용해 해수욕장 상어 출몰을 감시하는 프로그램을 발표했다. 동영상 카메라 및 음파 수신기가 장착된 드론들이 GPS 경로비행을 하면서 실시간으로 바다를 촬영한 동영상을 GPS 위치좌표와 함께 지상으로 송신하고, 음파수신기로 음파 태그가 부착된 상어를 감지할 경우 이를 지상으로 알린다. 지상에서는 드론이 보내오는 동영상이나 상어감지 신호를 통해 상어가 발견되면 해당 드론의 GPS 좌표를 통해 상어가 출몰한 위치를 확인하고 대응하는 방법이다

---

33) 출처 : Drone Deploy

[그림 16] 영국 RTS ideal사의 로보가드 해난 구조용 드론

울산과학기술원에서 개발한 911$ 응급구조 드론은 하늘을 나는 들것의 개념으로 911달러(약 100만원) 정도로 양산이 가능하다는 점을 알리고자 제품에 '911$'를 넣었다. '911$ 응급구조 드론'은 환자를 눕히는 들것에 프로펠러 8개와 유선 배터리팩을 연결해 지상에서 1m 정도 높이로 띄워 이동할 수 있다.

자이로스코프를 장착해 수평과 회전 방향을 제어하고, 유선으로 연결된 구조대원을 자동으로 따라가게 만든 '팔로우미 기능'을 탑재했다. 또한 전력 공급을 구조대원에게 받기 때문에 가볍고 체공시간도 길다는 장점이 있다.

'911$ 응급구조 드론'은 첨단 센서나 원격제어, 장애물 인식 등 복잡한 기술이 아닌 접근이 쉬운 보편적 기술을 활용했다. 험한 지형에서 골든타임 내 환자를 구조하려면 효율적 이동이 무엇보다 중요하기 때문에 '911$ 응급구조 드론'을 이용하면 열악한 구조 환경을 개선하고 더 많은 생명을 구할 수 있을 것으로 전망된다.[35]

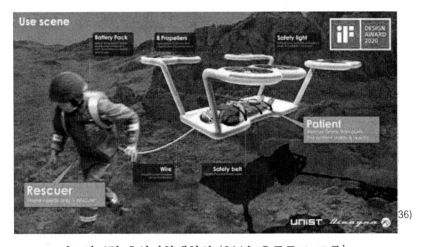

[그림 17] 울산과학대학의 '911$ 응급구조 드론'

34) 출처 : RTS ideal
35) 구조대원 대신 인명 구조하는 '드론', 사이언스타임즈, 2019.03.27
36) '하늘 나는 들것' 응급구조 드론 뜬다. 전자신문(2020)

(4) 생태계 보호 및 관찰용 드론

야생동물보존협회(Wildlife Conservation Society)는 지난달 벨리즈 수산국에서 파견된 사람들에게 불법 어획을 감시하기 위해 두 대의 드론을 이용하는 방법을 훈련시켰으며, 호주에서는 바닷새(seabird) 생태를 모니터하는데 쓰이기도 하며 그린란드의 초목 보존, 네팔의 밀렵 방지, 마다가스카르와 가봉 등의 생태 보존을 위해서도 드론이 쓰인다.

[그림 18] 라이안 핀 코 드론으로 촬영한 생태계 사진

라이안 핀 코 설립자는 "열 몇 개 나라에서 약 100대의 드론을 사용하고 있다"고 밝혔다. 광활한 서식지가 파괴되는 것을 막기 위해, 그리고 불법 활동이 있는지 여부를 파악하기 위해, 또한 생물들의 개체군을 보호하기 위해 드론을 쓰고 있다. 이들은 누구나 저비용으로 드론을 다룰 수 있도록 하는 것을 목적으로 한다.

라이안 핀 코 설립자는 2년여 전 수마트라에서 기름야자 재배로 인해 오랑우탄 생태계가 파괴되면서 곤란을 겪고 있고 있는 것을 알게 된 뒤 자신이 취미 활동으로 하고 있는 무인기를 여기에 써볼 생각을 하게 됐다고 설명한다. 이 장난감 같은 무인기에 카메라를 달아서 환경을 관찰해보기로 한 것. 그리고 서지 위츠에게 이 단체를 만들어보자고 제안하게 됐다.

이 둘은 드론을 이용해 얻게 된 열대 우림에 대한 각종 조사 보고서를 발표하기 시작했다. 코 설립자는 "이후에 많은 동료들이 우리에게 연락을 취해 왔다"면서 "우리는 자체 드론을 만들고자 했고 전 세계를 돌면서 이런 프로그램이 가능하도록 하는데 애써 왔다"고 밝혔다.

벨리즈 어업 관리관 마즈 박사는 "벨리즈의 강한 염수(saltwater) 환경에서 어떻게 하면 생태계가 보존될 수 있는 지를 파악하는데 드론이 쓰이고 있다"면서 이를 위해 약 6개월 동안 매일 다양한 지역을 모니터하고 있으며 어업국이 이 조사 결과를 분석할 방침이며 여기에 상당한 기대가 실리고 있다고 밝혔다.[38]

---

37) 출처 : http://visualize.tistory.com/139
38) 뉴스핌, 2014.07.22. <드론의 또다른 미션 '환경보호'>

(5) 배달 서비스용 드론

현재 중국 알리바바는 상하이 YTO 물류회사와 함께 드론을 이용하여 타오바오 전자거래 물품을 배달하는 시험을 하고 있으며, 독일 DHL사는 파슬콥터(Parcelcopter)라 부르는 쿼드로터 드론을, 아마존은 프라임에어(Prime Air)라 부르는 옥타로터 드론을 이용해 소형물품 배달서비스를 시험 중이다.

드론을 이용한 물품 배달은 도심지를 통과해야하며, 드론이 빌딩 등 각종 시설물들 혹은 도심 지역을 비행하는 경찰 및 소방 헬기와 충돌할 수 있고, GPS 신호 수신이 고층 빌딩으로 인해 장애를 받을 수 있다. 현재 관련업계 및 학계들은 드론이 GPS와 관성항법장치(INS: Inertial Navigation System)를 이용해 장거리 자율비행(Autonomous Aviation)을 하면서, 카메라, LiDAR 및 초음파 센서 등의 EO 센서들을 이용하여 장애물을 감지하고 회피(Sense and Avoid)하는 다양한 방법을 연구 중이다.

미국 Metternet사는 FAA의 제한된 허가 하에 Matternet One이라 부르는 드론 네트워크를 개발해 혈액, 의약품 등 응급 의료품 배달을 시험 중이다. Matternet One 네트워크는 물품 배달용 드론들, 약 10㎞ 간격으로 지상에 설치되어있는 태양열로 발전되는 기지국들, 그리고 기지국들과 광케이블 혹은 이동통신망으로 연결된 중앙 크라우드 서버로 구성돼 있다.

지상 기지국에는 드론 이착륙을 위한 랜딩패드, 예비 배터리 및 배터리 교체를 위한 자동화 기기가 설치돼 있다. Matternet 드론은 GPS 경로비행을 하거나 혹은 기지국들이 발생시키는 광대역 라디오 비콘(Beacon) 신호를 수신하면서 목적지까지 비행한다. 비행 중에 배터리가 소진하면 중간에 있는 기지국에 착륙하여 배터리를 교환할 수 있고, 비행경로 상에 기상 악화 등의 문제가 발생하면 크라우드 서버가 기지국들의 비콘을 바꿔 드론의 비행경로를 조정할 수 있다. 현재 Matternet은 스위스 우체국과 시험 서비스를 진행 중이다.

[그림 19] 아마존 '프라임에어' 드론

---

39) 출처 : Amazon

아마존은 2013년 12월 '프라임 에어'라는 이름의 프로젝트를 발표했다. 헬리콥터와 같이 생긴 드론을 이용해 물류센터에서 반경 16km 이내의 주문자에게 30분 이내로 제품을 배달하는 방식이다. 아마존에 따르면 이 서비스는 2015년 초 물류센터에서 가까운 도심지부터 먼저 서비스를 시작하였다. 최대 운송 가능한 중량은 5파운드(약 2.3kg) 정도. 이 정도 무게면 아마존에서 주문되는 제품 가운데 약 86%를 드론으로 배송할 수 있다. 아마존은 현재 미 연방항공청에 드론 사용 승인을 신청한 상태다.

도미콥터는 도미노피자가 피자 배달을 위해 사용한 드론을 말한다. 2013년 6월 영국 도미노피자는 드론 제조기업 에어로사이트의 옥타콥터(날개가 8개 달린 드론)으로 피자를 배달하는 데 성공했다. 당시 도미콥터 드론은 피자 2판을 들고 매장에서 6.5km 떨어진 주문자의 집 안마당까지 10분 만에 도착했다. 영국 도미노피자는 이번 시연을 바탕으로 안정성, 주거침입 등의 법제도가 완비되면 드론 배달서비스를 본격적으로 실시할 계획이다.

국내에서는 KAIST 항공우주공학과 심현철 교수가 만든 드론이 딸기 배달을 시도하였다. 잔디밭에 있는 주문자가 스마트폰의 앱을 통해 딸기를 주문하면 주문자의 스마트폰에 내장된 GPS로 위치 정보가 무인시스템에 전달된다. 이후 무인자동차는 무인항공기를 싣고 차량이 갈 수 있는 가장 가까운 곳까지 이동한다. 주문자 위치가 차로 접근하기 쉬운 장소라면 무인자동차만 보내고, 차로 접근하기 어려운 지역이라면 드론을 무인 자동차에 실어 같이 보낸다. 차가 접근하기 어려운 장소로는 드론이 딸기 상자를 싣고 직접 전달하는 방식이다.[40]

산업부는 2022년 까지 총 352억원을 투입해 드론을 활용한 물류 서비스 플랫폼 구축과 실증사업 등을 추진 중이다. 이 사업의 일환으로 개발된 자율드론이 GS25 상품을 소비자에게 배송하는 것을 시연한 행사가 2020년 6월 제주도에서 진행되었다. 편의점에서 각각 1.3km와 0.8km 떨어진 펜션과 초등학교에서 GS편의점 앱을 통해 도시락 주문이 들어오자, 편의점과 함께 있는 GS칼텍스 주유소에서 주문된 물품을 드론에 실어 배송한다. 드론이 배송을 마치고 돌아오는 데는 5~6분 정도가 걸렸다.[41]

(6) 인터넷 무선중계(Wireless Relay)용 드론

2015년 11월 기준 약 38억 명이(전 세계 인구의 53.6%) 인터넷이 안 되는 지역에 살고 있다고 한다. 인터넷이 안 된다는 말은 인터넷 망이나 이동통신망이 없다는 말이다. 2014년 초 페이스북과 구글은 태양전지로 구동되는 드론 개발 회사인 영국 Ascenta사와 미국의 Titan Aerospace사를 경쟁적으로 인수했다.

드론을 이용해 인터넷이 안 되는 지역에 인터넷 서비스를 제공하기 위한 것이라고 한다. 여러 개의 드론을 성층권으로 쏘아 올리고, 인터넷이 있는 지역에서 성층권에 떠 있는 드론까지 무선으로 인터넷을 전송하고, 성층권에 떠있는 드론들끼리 서로 무선으로 인터넷을 중계(Relay)한 다음, 인터넷이 없는 지역 위에 떠있는 드론이 지상으로 인터넷을 전송해주는 방법이다. 여기서 중계란 말은 RF 연결을 의미한다.

---

40) 주식가치평가_드론산업분야, BP기술거래,
41) 앞으로 자율드론으로 도시락 배달한다, 매일경제, 2020.06.08

페이스북의 인터넷 중계는 적외선 레이저를 이용한 공간광통신(FSO: Free Space Optical Communication) 방식이다. 인터넷 데이터를 레이저 빔에 실어서 아킬라(Aquila)라고 부르는 태양전지로 구동되는 고정날개 드론들을 이용해 약 10Gbps의 전송속도로 인터넷을 무선으로 중계한다. 성층권에 떠 있는 드론 한대가 반경 80km 지역에 인터넷을 전송해 줄 수 있다고 한다.

그러나 공간광통신 레이저는 구름, 안개, 비 등 기상 상태가 좋지 않을 경우, 전송효율이 떨어진다는 문제와 고공에서 수 킬로미터 떨어져서 움직이는 드론들 끼리 동전 크기의 정확도로 레이저 빔을 전송해야 한다는 기술적 어려움이 따른다.
구글 역시 페이스북과 마찬가지로 2013년 초부터 '룬(Loon)'이라고 부르는 드론들을 이용한 인터넷 중계 프로젝트를 시작했다.

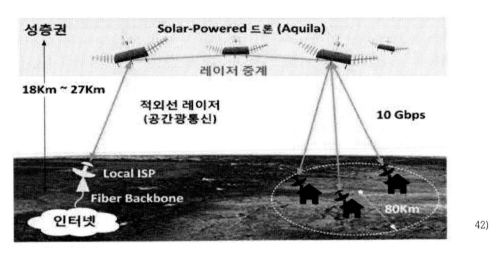

[그림 20] 레이저로 인터넷을 중계하는 페이스북 아킬라 프로젝트

초기의 룬 프로젝트는 태양전지로 구동되는 발룬(Ballon)을 성층권에 띄워서 인터넷을 ISM밴드(Industrial, Scientific and Medical Radio Band)를 이용해 무선으로 중계하는 방식이었다.

특별히 제작된 미국 Ubiquiti사의 AirMax Rocket M2/M5라 부르는 2.4㎓와 5.8㎓ ISM 밴드용 기지국 장비들과 안테나를 이용해 약 10Mbps의 데이터 전송속도로 인터넷을 전송하고 인터넷이 없는 지역에서 동시에 접속하는 사용자들은 TDMA(Time Division Multiple Access) 방식으로 구분했다.

하지만 지상에 특별히 제작된 값비싼 송수신 안테나들을 설치해야 하고 라우터를 이용한 네트워크 구축해야 하는 문제로 인해 2014년 ISM 밴드를 이용한 인터넷 전송 방식을 4세대 LTE를 이용한 방식으로 바꾸었다.

---

42) 출처 : 포커스뉴스, 2016.04.09. [드론 기술의 미래]⑤ 놀이에서 치안까지 활용되는 민수용 드론

이 경우, 지상에 값비싼 안테나를 설치할 필요가 없고 인터넷이 없는 지역에서 직접 LTE 단말기로 인터넷을 연결할 수 있다고 한다. 현재 구글은 브라질, 뉴질랜드 및 스리랑카 등지에서 룬 프로젝트를 실험하고 있다고 한다.

구글은 기존의 룬 프로젝트와 별도로 24㎓, 70㎓ 및 80㎓ 주파수 대역에서 밀리미터웨이브(Millimeter Wave)를 이용해 인터넷을 중계하는 스카이밴드(Skybend)라 부르는 또다른 인터넷 무선연결 프로젝트를 실험 중이다. 발룬들을 이용해 LTE 신호를 중계하는 룬 프로젝트와 달리, 스카이밴드 프로젝트는 구글이 인수한 Titan Aerospace사의 태양전지로 구동되는 고정날개 드론을 이용해 밀리미터웨이브에 인터넷 데이터를 실어 약 5~10Gbps의 전송 속도로 인터넷을 중계할 수 있다고 한다. 밀리미터웨이브 전송이 구름, 안개, 비 등의 기상 조건에 취약한 것을 고려해 능동위상배열(Active Phased-Array) 안테나를 이용해 신호를 전송한다고 한다.

밀리미터웨이브는 5세대 이동통신 방식이다. 국제전기통신연합(ITU: International Telecommunication Union)은 2020년 상용화를 목표로 밀리미터웨이브 기반의 5세대 이동통신 표준화를 진행 중이다. 구글의 룬 및 스카이밴드 프로젝트의 상용화를 위해서는 인터넷이 없는 지역에 가까이 위치한 로컬 이동통신 사업자가 기지국 안테나로 4세대 LTE 혹은 5세대 밀리미터 웨이브를 성층권에 떠있는 드론까지 송신해줘야 한다. 로컬 이동통신 사업자는 추가적인 통화료 수입이 생길 것이고, 구글은 인터넷 확산에 따른 추가적인 온라인 광고 수입이 생길 것이다.[43)]

(7) 농업용 드론

전세계적으로 드론을 농업에 활용하려는 움직임이 빨라지고 있다. 일본, 미국 등 각국 정부와 업계에서 모두 적극 도입을 논하는 만큼 올해 농업에서의 드론 사용이 두드러질 것으로 보인다.

국제무인시스템협회(AUVSI)에 따르면 드론시장은 2025년까지 85조원 규모에 이르고, 이중 상업용 드론의 80%가 농업용 목적으로 사용될 전망이다. 이러한 예측대로 최근 농업에서의 드론 사용에 대한 움직임이 전 세계적으로 포착되고 있다.

---

43) 포커스뉴스, 2016.04.09. <[드론 기술의 미래]⑤ 놀이에서 치안까지 활용되는 민수용 드론>

[그림 21] 야마하 농업용 헬기형 드론 'Rmax'

특히 일본이 가장 대표적이다. 일본은 정부 주도하에 약 20년 전부터 농업용 드론을 개발해 오며 농약 자동살포, 농작물 육성 상황 관찰 등 농업에 드론을 다양하게 사용해왔다. 2013년 농업용 드론 보급 대수가 2500대를 넘어섰을 정도. 일본 전체 논 면적의 40%가 드론으로 살 충제, 비료를 살포하는 것으로 조사됐다.

시장조사기관인 시드플래닝은 올해 일본의 용도별 드론 가운데 농약 살포용이 70% 이상을 차지할 것으로 예측했다. 미국도 빠른 움직임을 보이고 있다. 정부보다 업계에서의 드론 사용 요청이 적극적인데, 최근 FAA에 승인 신청을 하는 기업들이 증가하고 있는 것으로 알려졌다.

상업용 드론의 경우 25kg이상의 무게를 허용치 않았던 FAA가 5월5일(미국 현지시간) 농업 용 비료와 농약을 담은 탱크 운반이 가능한 드론 알맥스(RMAX)의 사용을 허가하는 등 농업 에 관대한 모습을 보였기 때문. 업계 전문가들은 올해를 기점으로 미국 농가의 드론 사용이 본격화될 것이라고 전망했다. 이외에도 프랑스, 아르헨티나 등 여러 나라에서 농업용 드론 사 용을 적극 추진중이다.

이러한 추세는 국내에도 이어지고 있다. 현재 약 200여 개의 농업용 드론을 사용하고 있으 며, 특히 전라도에서 농업용 드론의 이점을 최대한 활용하기 위한 방안을 모색하고 적극 도입 하고 있다.

최근 전라남도는 정부, GS그룹과 함께 전남 창조경제 육성전략을 발표했다. 이 전략에 따르 면 전라남도는 농수산벤처 창업 1번지 전략을 내세워, 자율주행제조로봇과 드론을 활용해 잡 초제거와 농약살포 등 농산물 관리를 이루는 고부가가치 IT 농업지대를 육성할 계획이다. 전 북대학교도 자동차부품금형기술혁신센터와 함께 국내 환경에 최적화된 농업용 드론을 개발하 고 있다.

---

44) 출처 : 이데일리, 2015.07.19. <야마하 농업용 헬기형 드론 'Rmax

장성기 신드론 대표는 "농업용 드론이 가져오는 이점은 거의 확실시된 상황이고, 국내 중농층들도 이러한 데 높은 관심을 보이고 있기 때문에 농업용 드론이 국내에서 성장할 가능성은 충분하다"며 "다만 기존 사용되는 농업용 헬기가 2억원을 호가할 뿐 아니라 무인헬기 형태로 제작돼 있어 국내 소단위 농경지에 적용키 어려운 점이 있다는 점을 감안해, 다중 날개를 지닌 멀티콥터 형태로 국내에 최적화된 드론을 개발 및 상용화하기 위해 노력중"이라고 전했다.

농업용 드론의 이점은 명확하다. 과거와 달리 인구의 고령화와 함께 농업 종사자들이 줄어드는 인력난을 해소시켜 줄 수 있는 것과 더불어 농업을 보다 체계적으로 관리할 수 있도록 돕는다. 이에 현재 전 세계적으로 농업용 드론이 각광받으며. 상용화를 적극 추진하는 단계에 있다.[45]

(8) 기타 드론
1) 산업 시설 점검용 드론

미국 Dominion Virginia Power사는 2015년 8월부터 미연방항공국(FAA: Federal Aviation Administration)의 허가 하에 기존에 헬리콥터를 이용해 수행하던 위험한 고압선 점검 작업에 드론을 이용하기 시작했다. 드론을 이용하면 헬리콥터 혹은 지상에서 만들 수 없는 촬영 각도에서 고압선 사진 및 동영상을 촬영할 수 있다.

미국 Sky Futures사는 2015년 3월부터 FAA의 허가 하에 드론을 이용한 유전 및 가스시설의 항공 촬영 서비스를 제공하고 있다. 비디오카메라와 적외선 센서를 탑재한 드론을 이용해 송유관, 가스관, 굴착 장비 등 시설물을 정밀 촬영해 HD급 비디오 사진 및 적외선 이미지를 지상으로 전송해준다.

미국 캘리포니아 주 소재 Kespry사는 자체 제작한 드론을 이용해 건설현장의 항공 사진을 찍어 종합적인 현장상황을 분석해 주는 회사이다. 드론이 건설 현장의 항공 사진을 촬영해 WiFi를 통해 인터넷 크라우드 센터로 보내면, 데이터분석 요원들이 사진들을 보고 건설 진행 상황, 여러 곳에 분산돼 있는 각종 건설 장비 및 차량 소재파악, 각종 자재현황을 분석하고 정리해 준다.

최근에는 드론에 엔비디아(nVIDIA)사의 Jetson TX1이라는 딥 러닝(Deep Learning) 기반의 비디오 분석(Video Analytics) 모듈을 탑재해 드론이 건설현장의 각종 장비, 차량, 골재 및 자재 들을 스스로 인식하고 촬영한 사진들을 이들의 위치 정보와 함께 현장요원들의 스마트폰과 태블릿으로 실시간으로 전송해준다.

한국시설안전공단이 소규모 공동주택 무상 안전점검에 첨단기술을 본격 적용한다. 공단은 경남 창원시 타워맨션아파트, 은마아파트, 서광맨션 등 3개 아파트, 290여 가구를 대상으로 외부 균열, 마감재 손상, 누수 여부에 대해 외부 점검용 드론 등을 활용한 점검을 진행했다. 점검용 드론을 공동주택 점검에 활용함으로써 기존의 육안 점검 때보다 정확도를 높이고 외벽

---

45) CCTV뉴스, 2015.07.08. <농업용 드론 상용화 빨라진다!…국내는?>

점검에 따른 위험도 없앨 수 있게 됐으며, 드론 활용과 더불어 특별한 인공지능(AI)을 활용한 점검 데이터 분석도 가능해졌다. 46)

2) 피해 조사용 드론

미국 보험 회사들인 State Farm과 AIG는 2015년부터 FAA의 허가 하에 드론을 이용해 사람이 접근하기 힘든 홍수, 지진, 돌풍 등으로 파괴된 보험 시설물들에 대한 피해 조사를 시험 중에 있다.

남부지방산림청은 풍과 집중호우로 인한 산사태 사전 예방과 피해조사를 위해 '산림드론감시단'을 운영한다. 산림청에 따르면 '산림드론감시단'은 드론자격증보유자, 드론교육이수자를 중심으로 지방청과 국유림관리소에서 자체 편성·운영 중이다. 한 '산림드론감시단'은 기상예보에 따라 산사태취약지역, 임도시설, 벌채·숲가꾸기 등 산림사업장에 대한 안전점검을 실시하고, 산사태 등이 발생할 경우 드론으로 피해지를 촬영하여 원인조사 및 복구계획 수립 등에도 활용한다.47)

3) 스모그 제거용 드론

중국 정부와 AVIC(Aviation Industry Corp of China)사는 2014년부터 파라호일(Parafoil)이라 부르는 소프트 윙(Soft-Wing) 드론을 이용하여 스모그를 제거하는 실험을 진행하고 있다. 동체 전면에 프로펠러 엔진이 장착된 파라호일 드론은 약 700kg의 오염제거 화학촉매제를 탑재하고 파라슈트를 이용해 날아가면서 공중에 오염제거 촉매제를 살포해 약 5km 반경의 스모그 물질을 응고시켜서 지상으로 떨어뜨린다고 한다. 프로펠러기는 대기오염이 심하면 비행을 할 수 없지만 파라호일 드론은 날씨의 영향을 받지 않고 비용을 줄일 수 있다.

48)

[그림 22] 중국 정부가 스모그 제거를 위해 사용중인 파라호일 드론

---

46) 한국시설안전공단, 공동주택 안전점검에 드론 활용, 한국아파트신문(2020.09.22)
47) 남부지방산림청, 드론 활용한 산림피해 조사, 대구경북뉴스(2020.09.15.)
48) 출처 : 포커스뉴스, 2016.04.09. [드론 기술의 미래]⑤ 놀이에서 치안까지 활용되는 민수용 드론

4) 인공 강우 드론

2016년 2월 미국 네바다 주 Desert Research Institute는 DAx8이라는 옥타로터 드론을 이용한 인공강우 실험을 성공적으로 마쳤다. 미국은 지난 60년간 헬리콥터를 이용하여 인공 강우를 만들었는데 헬리콥터는 안전을 위하여 항상 구름 위로 고도를 조정하면서 비행을 해야하지만 드론은 일정 고도를 유지하면서 구름 속을 비행할 수 있고 사람이 조정하는 헬리콥터 대비 훨씬 자주 비행을 할 수 있어서 연료 소모 등 경제적인 측면에서 비용을 반으로 줄일 수 있다.

국내에서도 무인기를 이용해 인공강우 실험을 진행한 결과, 비구름이 생기고 실제 비도 내리는 등 그 효과가 관측된 것으로 나타났다. 특히 무인기는 유인 항공기가 뜰 수 없는 기상환경에서도 활용할 수 있어 보다 안정적으로 인공강우를 시도할 수 있다는 의미도 있다. 그러나 실험으로 내린 비의 양이 약 0.5㎜로 미량인 데다, 자연적인 강우 요인도 일부 포함돼 있어 효율성은 더 개선돼야 하는 것으로 나타났다.

인공강우 시험은 전남 고흥·보성 주변 상공에서 실시되었고, 실험에는 한국항공우주연구원이 순수 국내 기술로 개발한 200㎏급의 스마트 무인기 'TR-60'이 동원됐다. 본 모델은 헬리콥터처럼 수직 이착륙이 가능하다.[49]

5) 국경 감시용 드론

미국토안보부는 멕시코 국경 북쪽 160㎞ 이내로 제한된 FAA의 비행허가 아래 2005년부터 비무장의 프레데터 공격용 드론 9대를 국경 순찰에 투입해 드론에 장착된 레이더를 이용해 국경 감시를 하고 있다.

6) 치안용 드론

미국 노스다코타 주는 2015년 4월 주 경찰이 전기충격기(Taser Gun), 최루탄발사기(Pepper Spray Gun) 혹은 고무탄총(Baton Gun) 등 덜 치명적인 무기를 탑재한 경찰용 드론의 사용을 합법화시켰다. 단, 드론을 이용해 채집된 정보를 바탕으로 영장을 청구하거나 피의자 기소를 할 수 없다고 한다. 하지만 덜 치명적인 무기가 사람들이 생각하는 것보다 더 자주 인명 살상을 할 수 있다는 점에서 논란이 되고 있다.

---

49) 드론 인공강우 실험, "구름커지고 비 내렸지만 효율 개선돼야",중앙일보(2019.06.16.)

Ⅲ. 드론 기술 동향

III.드론 기술 동향

과거 드론은 군사용으로 개발되었으나, 최근에는 다양한 분야로의 활용 가능성이 높아지면서 산업 및 민간용 시장으로 빠르게 확산되고 있다. 기상관리, 인명구조 및 영상촬영 등 다양한 분야에서 활용되고 있으며 특히 취미·레저용으로 점차 대중화·보편화되는 등 세계 각국은 드론 산업을 선점하기 위해 치열한 경쟁구도를 구축하고 있다.

차세대 드론 산업은 제조·서비스 융합 모델로 주목받고 있으며, 특히 IT 기술 및 다양한 서비스 등과 융합하면서 시너지를 창출할 전망이다. 드론의 HW만으로는 그저 하늘을 나는 소형 비행기에 불과하지만 인터넷 통신, 농업, 환경보호 등의 서비스 및 콘텐츠와 융합하면 수많은 신규 비즈니스 모델 창출이 가능해 향후 드론이 보다 광범위한 산업에 적용되려면 자율제어 센서, 로봇, 인공지능(AI) 등 다양한 첨단 기술과의 융·복합을 통해 변화하는 미래 환경변화에 대한 대비가 필수적이다.[50]

무인기 핵심기술은 항법, 제어 및 하드웨어 설계/제작 기술을 기반으로 한다. 항법 시스템은 무인기의 위치, 속도 및 자세를 내장된 관성 센서 및 GPS등을 통해 알아내며 다양한 센서 융합 기술이 사용되는 부분이다. 제어 시스템은 무인기의 위치, 속도 및 자세를 사용자의 요구에 따라 동작할 수 있게 하는 부분으로 비행체에 따라 다르며 항법 시스템의 피드백을 통해 작동된다.

군용무인기의 경우 신뢰성이 높고 정밀한 시스템을 만들기 위해 Jamming을 비롯한 외부 위협 등에 대해 강인한 기술개발이 필요하다. 민간 무인기의 경우 다양한 응용으로의 적용을 위한 가격, 성능 등의 특성에 대한 유연한 알고리즘 개발이 필요하다. 장애물 회피 및 충돌방지, 통신 등의 시스템 연계 기술 개발이 필요하다.

---

[50] 드론시장 및 산업 동향, 2017, 융합연구정책센터

핵심 기술	내용
항공 무인이동시스템 통신/항법/교통관리 기술	•항공 무인이동시스템의 국가공역으로의 안전한 통합을 위해 필요한 고신뢰도 무인기 제어링크 기술 •항재밍/항기만 항법 및 대체항법 기술 •차세대 항공교통관리와의 통합 및 차세대 항공교통관리 기술
항공 무인이동체 제어 및 탐지/회피 기술	•항공 무인이동체의 이착륙과 비행제어 및 자율화 향상 기술 •안전한 비행과 임무 수행을 위해 다른 비행체나 물체 등의 위험 요소를 탐지하고 충돌을 회피하는 탐지회피 기술
항공 무인이동시스템 센서 기술	•항공 무인이동체의 안전한 운항 지원 및 임무 수행을 위한 센서 기술
항공 무인이동시스템 S/W 및 응용 기술	•항공 무인이동체의 제어 및 임무 수행을 위한 고신뢰 실시간 OS와 interoperability 지원 개방형 S/W 플랫폼 및 표준 인터페이스 기술 •무인이동체가 수행하게 될 특정한 임무 수행을 위해 필요한 탑재체 기술 및 빅 데이터 처리 등 응용 기술
항공 무인이동체 플랫폼 기술	•다기능 초경량 소재 및 구조물 기술 •무인기 actuator 및 기계/전기 기술 •다학제 설계 기술 •설계 자동화 기술
항공 무인이동체 동력원 기술	•친환경적 고성능·고효율 동력원 기술

[표 3] 무인기 시스템 관련 핵심기술

51)

---

1. 해외

미국은 고성능·다기능 무인기를 개발할 수 있는 세계 최고의 드론 기술력을 확보하고 있고, 소형 드론에서 고고도 장기체공 대형 드론까지 다양한 드론을 개발하여 활용하고 있다. 최근에는 스텔스 기능의 드론을 실전배치하였고, 수소연료 드론을 개발하고 있다.

초소형 무인항공기까지 군용/ 민수용으로 사용중에 있으며, 무인전투기나 공격 및 자폭형 무인기 같은 다양한 종유의 군사용 드론을 운용중이다. 체계 소요기술 및 모든 서브 시스템에 이르는 핵심기술을 보유하고 있어 중/대형 자기체공~(초)소형, 고정익~회전익 등 UAV 전 분야에서 고성능, 다기능 무인기를 개발하여 운용 중이다.

지상 20km 대기권을 비행하며 광역 정밀 장찰이 가능한 고고도 무인항공기 Global Hawk를 개발하여 군사용으로 운용중이며 일본 후쿠시마 원전 사고 때 이 지역 상공을 비행하며 재난 지역 항공 촬영 영상정보를 제공하기도 하였다. 또한 Predator를 개발하여 정찰용은 물론 미사일을 장착하여 공격용 드론으로도 운용 중이다.

미국은 군사용 드론 산업의 전통적 강자인 보잉(Boeing), 노스롭 그루먼(Northrop Grumman)등 군사업체를 중심으로 드론 산업을 발전시켰으며 최근에는 구글, 아마존 등 글로벌 ICT 기업을 중심으로 드론을 이용한 제조·유통·물류산업의 패러다임 변화를 추진 중에 있다.

국가	개발 기업	기종		특징
중국	DJI	Phantom2 Vision+		-최대 이륙중량1.2kg -체공시간 25분(최대) -가격120달러, 베스트셀러
		inspire 1		-최대이륙중량 2.9kg -체공시간 18분 -시속 80km
		S1000+		-최대 이륙중량 11.0kg -체공시간 15분
미국	3D Robotics	IRIS+		-최대 이륙중량 1.3kg -체공시간 22분
		X8+		-최대 이륙중량 2.6kg -체공시간 15분
	Nixie	Nixie		-손목시계형 웨어러블 드론 -셀프카메라, 촬영 후 복귀
	AirDog	AirDog Drone		-최대 이륙중량 1.4kg -체공시간 10분 -사용자 자동 추적 기능
	Chaos Moon Studio	CUPID		-무인경비 드론 -전기 충격 장치 내장 -범죄 용의자 추적, 실시간 영상 전송
프랑스	Parrot	AR. Drone 2.0		-최대 이륙중량 1.8kg -체공시간 12분
		Bebop		-최대 이륙중량 0.4kg -체공시간 22분
독일	Micro drone	MD4-1000		-최대 이륙중량 6.0kg -체공시간 88분(최대)
		MD4-3000		-최대 이륙중량 15.0kg -체공시간 45분(최대)
스위스	Flyability	Gimball		-탄광, 숲속, 좁은 공간 자유롭게 비행 -장애물 부딪혀도 비행 가능

[표 4] 해외 주요 소형드론

보잉	세계 최고 수준의 무인기 기술/실적 보유 미 해군과 합동으로 무인정찰기 팬텀레이 개발 2010년 일반에 공개된 '팬텀레이'는 기존 정찰 기능뿐 아니라 방공망 제압, 전자전 공격 등도 가능해 스텔스 무인전투기로 평가
노스롭 그루먼	미국의 3대 항공우주산업체 중 하나 대형 고고도 정찰기인 트리톤 드론 개발 (2017년까지 총 68대 해군에 납품 예정)
구글	차세대 기술개발 프로젝트 '구글 X' 중 하나로 드론 활용 배달 프로젝트인 'Project Wing' 진행 비행선 형태의 무인기를 이용하여 인터넷 및 통신에 활용 (프로젝트 룬) 태양광 무인기 제작업체인 타이탄 에어로스페이스社 인수('14년)하여 드론을 통한 무선인터넷 보급망 확장에 활용 예정
아마존	무인 헬기를 이용한 차세대 드론 배송시스템(Amazon Prime Air) 실용화 추진 중
페이스북	영국의 드론 업체인 어센타(Ascenta)를 2천만 불에 인수 인터넷 소외 지역에 인터넷 서비스를 가능케 하는 인터넷 드론 아퀼라(Aquila) 개발 중 ※ 첫 시험비행에 성공했으나 '16년 11월 진행한 시험비행의 실패로 아퀼라를 통한 인도 인터넷 제공 보류
3D 로보틱스	북미지역을 중심으로 개방형 플랫폼을 통한 상업용 드론 개발 및 제품 판매 개방형 커뮤니티를 이용하여 사용자가 직접 운영시스템, 기술개발, 부품조달 등 드론을 직접 제작하고 경험을 공유하는 형태

[표 5] 미국 민간드론사업 추진 현황

52)

---

52) 출처 : 드론 시장 및 산업 동향, 2017, 융합연구정책센터

(1) 이스라엘

이스라엘은 양호한 항공전자 기술을 기반으로 전술급 드론에서 우수한 기술력을 보유하고 있다. 미국이 고성능 중·대형 드론 개발에 중점을 두는 반면, 이스라엘은 중고도 이하의 저비용·고효율 드론 개발에 중점을 두고 있다.

이스라엘은 최첨단 항공전자 기술력과 실전경험을 바탕으로 한 전술급 군용 드론 분야에서 세계 최고의 기술력을 보유하고 있으며, 미국을 포함한 세계 모든 나라들이 이스라엘의 기술적 영향력을 받았다. IAI사와 Elbit사를 중심으로 미국을 비롯한 전 세계 42개국 이상에 드론 기술 및 제품 수출을 통해 미국과 대등한 영향력을 행사하고 있다.

이스라엘은 2022년 상업용 드론의 합법화를 준비하고 있다. 2016년 8월, 미국의 상용 드론 합법화에 이어 두 번째이다. 이스라엘의 상업용 드론 도입 과정은 2025년으로 예정된 한국의 상용 드론 합법화에도 적잖은 영향을 미칠 것으로 예상되며, 군사용 무인기 제조 강국인 이스라엘은 글로벌 상업용 드론 시장에서도 주요 플레이어로 부상할 것으로 점쳐지고 있다.[53]

(2) 유럽

유럽의 경우 EADS社, Dassault社 등 체계통합 업체와 Rolls-Royce社 등 엔진 업체, Thales社 등 항공전자 업체를 보유하고 있으며, 이러한 업체를 기반으로 우수한 임무장비 개발 능력을 확보하고 있다. 공동의 드론 플랫폼을 사용하여 무인정찰기 등을 통합 개발함으로서 드론 개발의 효율성을 높였다.

프랑스는 EADS, Sagem, Dassault, Altec, Alcore 등 드론 분야 체계업체와 함께 Aerspatial, Thales 등과 같은 항공전자분야를 선도하는 기업들을 보유하고 있어 임무장비 개발 능력이 타국을 능가하고, 초소형으로부터 중고도 장기 체공형급인 Eagle-1 개발과 EU국가들이 공동 개발 중인 무인전투기 Neuron의 개발을 주도하는 등 다양한 무인기 개발을 진행 중이다.

독일의 경우 1990년대부터 드론을 운용해 왔고 임무장비 개발에 독자적 능력을 보유하고 있으며, 자국 개발 무인항공기의 실전 운용 경험을 통해 지속적인 기술발전을 이루고 있다. EADS, EMT, Rheinmetall사 등의 업체가 주도하면서 전술급 KZO, CL-239, Luna, Aladin, Orka 1200 등 다양한 군사용 무인기를 개발하여 운용하고 있으며, 최근에는 Global Hawk 동체를 들여와 EADS가 개발한 전자장비를 탑재한 Euro Hawk를 공동 개발하였다.

또한 독일 DHL사는 세계 최초의 무인기 택배 서비스를 하고 있다. DHL은 Microdrones 사의 Md4-1000을 사용하여 2014년 9월 독일 북부 노르트다이흐 항구에서 드론을 띄워 12km 떨어진 북해 위스트 섬까지 의약품을 배달했다.

---

53) 이스라엘 상업용 드론 시장동향, KOTRA, 2020.07.09

영국은 독자적인 드론 기체 및 엔진, 탑재장비 개발 기술을 보유하고 있으며, 최근에는 태양광 이용 장기체공 드론인 Zepher 개발을 통해 이 분야 기술에서 우위를 확보하고 있다. 일찍이 전술급 무인기인 Phoenix를 개발하여 운용 중이고, 이스라엘 Elbit사가 포함된 Thales 팀이 Watchkeeper 프로그램을 통해 Hermes 무인기를 개발했으며, 최근에는 무인전투기 Taranis 및 중고도 장기체공형 무인기인 Mantis를 개발 중이다.

중국은 소형 드론에서 부터 스텔스 기능의 대형 드론을 개발할 수 있는 역량을 보유한 것으로 알려져 신흥항공기술국가로 발돋움하고 있으나 항공전자/통신, 항법시스템분야는 아직 미흡한 수준이다. 지난 10여 년 동안 군사용 전술급 무인기들을 다수 개발하여 운용해 오고 있으며, 최근에는 중고도 장기체공형 무인기인 Yilong과 고고도 장기체공형으로 글로벌호크를 닮은 Xianglong을 개발 중이다.

드론 벤처 기업으로 성공한 중국은 DJI 사의 경우, 항공활영용 드론 비즈니스 모델을 잘 설정하고 대규모 투자를 유치하여 홍콩 과학기술대학과 활발한 산학 연구 개발을 통하여 중국의 드론 산업 활성화에 크게 기여하였다. (중국 알리바바 그룹은 2015년 2월 드론을 통해 상품배송 테스트를 실시했다.) 알리바바 드론은 베이징, 상하이, 광저우를 중심으로 한 시간 내의 지역에서 450명의 생강차 구매 고객을 대상으로 3일 동안의 택배 수송 시범 운행을 진행했다.[54]

DJI	농업용 드론을 최초로 출시하였고 팬텀시니스 개발 최근 팬텀4 발표. 설정한 피사체를 따라 촬영하는 액티브트랙, 화면으로 특정지점을 터치하면 자동으로 비행하는 탭플라이 등의 신기능이 추가되었으며 특히 비행 속도를 72km/h까지 올릴 수 있는 스포츠 모드가 새롭게 장착돼서 드론 레이싱이나 더욱 활동적인 영상 촬영이 가능 드론의 핵심 기능인 플라이트 컨트롤러와 드론의 움직임과 관계없이 카메라를 일정한 기울기로 유지하는 짐벌 분야에서 최고의 기술을 보유 국내에 플래그십 스토어 및 실내 드론 경기장 DJI 아레나 구축
XAIRCRAFT	스마트 농업 드론 선두업체 기업가치만 12억 7,000만 위안에 달하며 주요제품으로 P20 시리즈 보유
이항	사람이 탈 수 있는 1인용 유인 드론 개발 스마트폰 어플을 통한 드론 콘트롤 시장을 공략하는 업체로, DJI의 전문적인 항공촬영보다 대중화 성격이 강함
샤오미	저가 스마트폰의 대명사인 샤오미도 미 드론(MI Drone) 출시 4K 동영상 촬영을 지원하면서도 기존 4K 드론에 비해 저렴한 가격

[표 6] 중국 민간드론사업 추진 현황

---

54) 출처 : 드론 시장 및 산업 동향, 2017, 융합연구정책센터

일본은 휴머노이드 로봇산업에서 최고의 기술을 가진 국가답게 단시일 내에 우수한 드론 기술 확보가 가능한 잠재력이 풍부한 국가이다. 이미 농업용 무인기인 야마하사의 R-MAX 무인헬기 개발 및 운용을 통해 만수 드론 분야에서 두각을 나타내고 있다. 일본정부는 2015년 말 도쿄와 가까운 수도권 도시 지바시를 국가전략 특구로 지정, 드론 택배를 허용하기로 결정했다. 더불어 2015년 11월 일본 정부는 이르면 3년 안에 드론을 이용한 화물 운송을 가능하게 하는 것을 목표로 하겠다고 밝혔다.

향후 일본 정부와 업계는 지바시에서 약 10km 떨어진 도쿄만 부근의 창고에서 출발, 바다위를 비행해 지바까지 화물을 실어 나르는 실험을 진행할 예정이다. 일본은 양호한 드론 관련 부품기술을 확보하고 있지만, 최근에 정찰용 드론 시제기를 시연할 정도로 체계 통합 기술단계가 다소 낮은 상황이다.[55]

---

55) 국내·외 드론 산업 현황 및 활성화 방안, 2016, 유광준

2. 국내

Frost & Sullivan 사는 우리나라의 드론 기술수준에 대하여 미국, 영국, 이스라엘, 일본 등과 함께 드론 시스템을 개발할 수 있는 Tier1 등급으로 분류하였다. 한국은 세계 7위권의 기술 드론 기술 경쟁력 보유(고정익 유인기 13위권, 회전익 유인기 11위권)하고 있다고 국방기술품질원은 평가하였다.

[그림 22] 세계 무인기 국가군 분류(Frost&Sullivan)

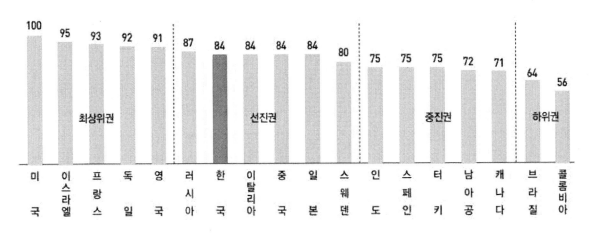

[그림 23] 무인기 기술순위

56)

드론의 상용화는 이미 깊숙이 이뤄졌다. 특히 글로벌 물류 업계에선 드론이 최대 화두다. 배송 경쟁에서 속도가 핵심이기 때문이다. 누가 더 빨리 소비자가 주문한 상품을 배달하느냐에 따라 승패가 갈린다. 미국처럼 땅이 넓은 국가의 경우 육로로 주문 당일 물건을 배달하는 것은 불가능에 가깝다. 택배업체들은 드론에서 해답을 찾았다.

---

56) 출처 : 한국일보, 2016.03.31. <[규제개혁 없이 미래 없다] 테스트 비행할 곳 찾아 삼만리, 날개 못펴는 드론 산업>

국내의 경우 CJ대한통운은 운송로봇 개발 및 드론을 활용한 물류사업모델 개발 등을 추진 중이다. 현재 육로로 가기 어려운 도서·산간 지역에서 시험비행이 많이 이루어지고 있다. 우정사업본부에 따르면 2021년 우편물 드론 배송 상용화를 목표로 사업을 추진하고 있다. 이때까지 드론 배송의 안정성과 사용자 편의성 등 관련 기술을 고도화할 것을 목표로 한다. 드론 택배가 가능해진다면 드론으로 재난이나 조난 지역에 긴급 구호물자를 나르는 사업도 가능할 것으로 보고 있다.

한국과학기술원(KAIST) 항공우주공학과는 국내 최초로 드론을 이용한 운송시스템 시연에 성공했다. 이 시연에서 2kg 무게의 비상 의약품을 들어 올린 드론이 10km를 날아 목적지에 성공적으로 찾아갔다.

이처럼 국내 드론 기술도 상당한 수준까지 올라와 있다. 항공촬영 시장은 이미 드론이 대세다. 기존 헬기 촬영에 비해 비용이 적고 건물 전경이나 토지 등의 영상이 훨씬 더 자세하고 풍부하기 때문이다. 항공사진 전문가 장문기씨는 "드론은 눈에 안 보이는 새로운 앵글을 찾게 해준다"며 "새로운 시각의 변화다. 항공촬영은 이미 드론의 시대"라고 말했다.

실제로 국내 드론 수요는 공공기관을 중심으로 빠르게 늘고 있다. 산림청은 산불 예방과 병충해 탐지를 위해, 한국도시가스는 송유관 점검 등의 목적으로 드론을 활용할 예정이다. 20여 곳의 공공기관에서도 드론 도입을 준비하고 있다.[57]

또한 틸트로터 기술의 상용화를 앞두고 있는 국가는 한국뿐이다. 틸트로터는 헬리콥터처럼 수직 이착륙(왼쪽)이 가능하고 비행 중 회전 날개를 기울여 일반 비행기처럼 운행한다. 2020년 세계 최초로 상용화를, 2024년엔 본격 양산을 목표로 하고 있다.

한국은 안보에 주력하는 분단국의 특수성 때문에 군용 무인기 분야에서만큼은 세계 최고인 미국과도 격차가 5년에 불과하다. 항우연에 따르면 무인기 관련 특허 출원도 한국이 세계에서 다섯째로 많다. 특히 기체 조립과 설계 분석 능력에서 강점을 보이고 있다. 중국이 독차지한 드론 시장을 한국이 뚫고 나갈 수 있다는 희망의 근거다. [58]

---

57) JTBC, 2015.01.10. <DHL, 12km까지 택배 성공 … 아마존, 건당 2달러에 배송 예정>
58) 출처 : 드론 시장 및 산업 동향, 2017, 융합연구정책센터

IV. 드론 시장 동향

IV.드론 시장 동향

전 세계 무인항공기 시장은 향후 10년 동안 매년 40억 달러에서 140억 달러씩 성장하여 총 930억 달러 규모에 이를 것으로 전망되고 있다. 이중 군용 무인항공기가 72%, 상업용 무인항공기가 23%를 차지할 것으로 예상되고 있다.

특히 전 세계 군용 무인항공기 기술개발 투자에서 미국이 64%를 차지할 정도로 무인항공기 시장의 주도권은 여전히 미국에 있다고 해도 과언은 아니다. 나아가 미국 연방항공청(Federal Aviation Administration: FAA)이 2014년 6월에 무인항공기가 알래스카주 유전지역의 탐사 및 석유 파이프라인 점검 등에 활용 되는 것을 허가 한 것을 고려하면, 군용 무인항공기 기술에서 가장 앞선 미국이 그동안 무인항공기의 상업적 활용을 강하게 금지해 온 것에서 탈피하여 향후 상업용 무인항공기 분야두 선두해 갈 가능성도 있다.

자체 군용 무인항공기 모델을 보유한 국가는 전 세계 82개국이며, 이 중 실전에서 무인항공기를 사용한 국가는 미국, 영국, 이스라엘 3개국이다. 군용 무인항공기 시장은 미국이 오랜 역사 및 기술력을 바탕으로 시장에서 압도적인지위를 유지하고 있는데, 최근 이스라엘이 전 세계 20여 개국에 수출하는 등 강국으로 부상 중이며, 그 밖에 영국, 프랑스, 독일, 러시아, 중국 등도 기술 수준을 높여가고 있다.[59]

최근에는 상업용 무인항공기 시장의 급성장에 따라 관련 기술 개발도 상업적 사용에 적합하도록 경량화, 소형화 추세에 있다. 최근 개인용 무인항공기는 저렴한 가격, HD카메라 부착과 개인 휴대폰으로 조종이 가능한 상품 등의 특성을 지닌 제품이 다수 출시되고 있다.

요즘 무인항공기는 물류, 특수촬영, 재해관측, 농약살포 등 다양하게 활용되어가고 있다. 미국의 아마존은 프라임 에어(PrimeAir)라는 '30분 이내 배달 서비스'를 제공하기 위해 드론을 사용하기로 하였다. 아랍에미리트(UAE)는 2014년에 지문과 안구 인식시스템을 탑재한 드론으로 여권, 운전면허증 등 정부문서를 배송하는 세계 최초의 정부 행정 서비스를 구현하고자 하였다.

구글은 바람과 날씨에 영향을 거의 받지 않는 성층권에 풍선과 같은 열기구를 띄워 인터넷이 지원되지 않는 오지나 극지에 인터넷을 보급할 계획을 가지고 있고, 페이스북은 드론과 인공위성, 레이저빔을 활용하여 사막과 같은 오지에서 인터넷이 가능하도록 할 예정이다. SBS의 '정글의 법칙', TvN의 '삼시세끼' 등 예능 및 스포츠중계 방송 등에서 헬리캠(촬영장비를 갖춘 전문 드론)을 활용하고 있다.

프랑스의 르노는 소형 드론을 필요 시 외부로 날려 교통체증 상황을 파악하여 운전자에게 전송하는 콘셉트 카 '키위드(Kwid)'를 출시하였다. 2011년 동일본 대지진에 의한 일본 후쿠시마 원전 사고 당시 미군의 무인항공기 '글로벌호크'가 원전에 접근·촬영한 정보를 바탕으로 수습대책이 수립되기도 하였다. 미국 뉴욕에서는 CCTV 카메라가 잡히지 않는 사각지대에 드론을

---

59) 무인항공기 시장·기술·법제도 실태분석 및 정책적 대응방안 연구, 2016, 박철순

띄워 치안에 활용할 계획이다. 일본에서는 살충제 배포 및 농업용수 관리에 활용하고 있으며, 미국과 프랑스에서는 포도밭 관리에 활용하고 있다.

[그림 24] 구글의 룬 프로젝트

이러한 상업용 무인항공기를 제작하는 세계적인 업체로는 중국의 DJI, 미국의 3D로보틱스, 프랑스의 패롯 등을 들 수 있다. 특히 중국의 DJI는 세계 최대 민간용 무인항공기 제작업체로 가격 경쟁력을 바탕으로 시장의 70% 정도를 차지하는 것으로 알려져 있다. 미국 백악관 및 일본 총리관저에 떨어진 드론이 이 회사가 만든 제품이라고 한다. 대표 상품으로는 인스파이어, 라이트브리지 및 팬텀 시리즈 등이 있다.

국내 무인항공기 제조분야는 아직은 걸음마 단계이나 유콘시스템, 바이로봇, 엑스드론, 성우엔지니어링 등의 업체들이 나름대로 차별화된 제품들을 출시하여 시장을 개척하려고 노력하고 있다. 경찰청, 국민안전처(해양안전경비본부 및 중앙소방본부), 산림청, 한국항공우주연구원 등이 기관별 업무특성에 맞는 드론 개발 및 활용을 추진하고 있어 향후 국내 드론사용은 폭발적으로 증가할 것으로 보인다.

---

60) 출처 : 전자신문, 2013.06.16. <구글 "열기구로 전 세계 인터넷 연결">

1. 드론 시장 현황

[그림 25] 드론 산업 규모

　국토교통부에 따르면 전 세계 드론 시장 규모는 2016년 7조 2,000억원, 2022년 43조 2,000 억원, 2026년에는 90조 3,000억원까지 성장할 전망이다. 이에 따라 우리나라도 드론 사업에 관심을 가지고 추진 중이나, 아직 개인, 레저용 드론이 이제 막 관심을 받기 시작한 단계이다. 한편, 드론 시장에서 영향력있는 나라는 대표적으로 중국과 미국인데 이들은 이미 드론을 다 양한 산업 및 국방 분야에 활용하고 있다. 최근 미국의 아마존과 중국의 징둥닷컴은 드론으로 '무인배송 서비스'까지 출시한 상황이다.

　현재 전체 드론시장에서 가장 많은 비중을 차지하는 드론은 '군사용 드론'이다. 군사용 드론 은 보잉이나 록히드 마틴 등의 대형 글로벌 군수 업체들이 장악하고 있는 실정이다. 한편, 민 간용 드론 시장규모가 2025년에 군사용 드론 시장규모를 넘어설 것이라는 예측도 나오고 있 다. 현재 개인용 드론은 중국의 DJI라는 단일 기업이 글로벌 시장의 74% 이상을 독점하고 있 다. 또한 산업용 드론은 미국과 중국을 필두로 각국 규제 완화 및 정부 지원이 강화되면서 수 요가 연평균 30% 증가해 시장을 주도할 전망이다. 따라서 개인용과 산업용 드론 시장을 모두 합하면 군사용 시장의 규모도 넘어설 수 있다는 예측은 어느정도 타당성이 있는 것이다. 상업 용 드론에는 아직 절대 강자가 없다고 볼 수 있으나, 이 시장도 중국의 DJI가 패권을 장악할 가능성이 유력하다고 보여진다.[61]

　현재 국내외에서 가장 주목받고 있는 드론 산업의 분야는 '드론 배송 서비스'이다. 이를 위하 여 글로벌 업체들은 발빠르게 움직이고 있다. 아마존과 알리바바와 같은 e커머스 업체와 DHL, UPS와 같은 물류업체, 벤츠와 같은 차량 제조업체, 통신사 등도 배송 효율을 높이기 위한 드론 도입을 적극 검토 중이다.

---

61) 전세계 민간 드론 수요 폭증, 2026년 전체시장 90조 전망/서울경제

먼저 아마존은 2016년 12월 영국에서 첫 드론 배송 테스트를 완료하고, 테스트에서 사용자는 주문 후 13분 만에 물품을 전달받았다. 이후 아마존은 향후 드론을 통해 30분 배송 보장 서비스를 추진할 것이라고 밝히기도 했다.

또한 DHL은 2016년 1월부터 3월까지 3개월동안 자동화 드론 배송 시스템 '파슬콥터(Parcelcopter)' 테스트를 진행했으며 이를 통해 기존 차량 택배로는 30분 걸리는 작업을 8분으로 단축할 수 있다고 밝혔다. UPS는 2017년 2월에 지붕에 드론을 도킹할 수 있는 택배용 차량을 공개했으며, 드론 배송으로 기존 운전자들을 대체하기보다는 운전자와 협력하고, 배송 근로자의 업무 부하를 덜어주는 방향으로 드론을 활용할 방침이라고 밝혔다.[62]

2019년 전 세계 상업용 드론(Drone)의 시장규모는 41억 4천만 달러에 달하였지만, 2020년에는 코로나19에 따른 경기 둔화로 인해, 전년 대비 12.0% 감소한 31억 6천만 달러에 그쳤다. 그러나, 전문가들은 2023년에는 연간 성장률(CAGR, Compound Annual Growth Rate)이 19.09%로 회복되고, 시장규모도 62.5억 달러로 도약할 것이라고 기대하고 있다.

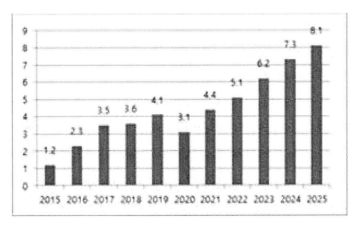

[그림 26] 상업용 드론 시장규모 (십억 달러)

애초에 군사용으로 개발되었던 드론을 상업용으로 전환하는 과정은 생각처럼 쉽지 않았다. 각계의 우려와 관련 규정의 미비로 많은 어려움이 있었고, 지금까지 인류가 구축해 놓은 도로, 주유소, 공항 등 기존 인프라들을 전혀 활용할 수 없다는 치명적 한계도 있었다.

그러다, 제4차 산업혁명으로 기술의 혁신이 일어나면서, 최근 5년 동안 놀라운 변화가 일어났다. 인프라, 농업, 운송, 엔터테인먼트, 보안 및 보험 등 다양한 산업에서 드론에 대한 수요가 생기기 시작했고, 드론이 합법화되기 이전에 벌써 미연방항공청(FAA; Federal Aviation Administration), 유럽항공안전청(EASA; European Union Aviation Safety Agency)과 같은 정부 기관이 드론 사용에 대한 수백 건의 면제를 승인하는 상황이 벌어졌다. 앞으로 상업용 드론의 사용이 본격화 되면, 레저용 드론에 비해 훨씬 더 높은 성장률을 기록할 것이라고 예상되는 대목이다.

---

62) 잠재력 많은 드론의 미래, 해외시장은?/보안뉴스

상업용 드론은 향후 수년 내 시장의 커다란 혁명을 불러일으킬 것으로 기대된다. 인간의 노동력이나 비싼 운송수단이 필요하지 않기 때문에 운송 비용이 크게 줄어들 것이다. 이로 인해 교통혼잡이 줄어들고, 전기모터로 작동하는 드론은 대기오염 걱정도 없다. 일부 기업들이 수익성을 이유로 눈 여겨 보지 않았던, 인구가 적고 외딴 지역에도 배달 서비스가 가능해진다. 특히, 최근에는 기술의 발전으로 다양한 크기와, 무게, 모양을 가진 드론 생산이 가능해 졌으며, 다양한 센서와 화물을 탑재할 수 있게 되어 광범위한 응용이 현실로 다가왔다. 전문가들은 빠른 작업 속도와 효율성, 그리고 인간의 생명 위험을 줄여줄 수 있는 인공지능 기반의 무인 드론이 2-4년 안에 크게 성장하여 전체 산업을 장악하게 될 것이라고 전망한다.

그러나 주거지 상공에서의 드론간 충돌, 전신주와의 충돌, 비행 중 드론간 충돌, 10kg이 넘는 드론이 탁송 화물과 함께 인도 또는 보행자에게 추락하는 위험 등에 대해서는 여전이 논란이 많다. 아직 많은 국가에서 시각범위(Visual line of sight) 밖의 드론 비행에 대한 제약을 두거나, 드론에 대한 운영 규정이 제대로 갖춰지지 않은 상태여서 시장의 잠재력을 최대한 발휘하기엔 아직 무리가 있다는 평가도 있다. 또한, 보안 및 안전 문제, 조종사의 양성과 훈련된 조종사의 부족 등 다른 요인들도 드론 시장의 발전에 걸림돌이 될 수 있다는 우려도 있다.[63]

---

63) 이스라엘 상업용 드론 시장동향, KOTRA, 2020.07.09

(1) 해외
 1) 미국

현재 글로벌 상업용 드론 시장 규모는 전체 드론 시장의 13%를 차지하고 있다. 통계 사이트인 Statista에 따르면 2019년 기준, 상업용 드론 수는 39만 2천대로 16억 달러 가치로 추정되고, 2025년까지 매년 20~50만 대 증가할 전망이다.

미국 연방항공국(Federal Aviation Administration)의 자료에 따르면 미국의 상업용 드론은 2018년에는 약 16만 8천, 2021년에는 60만 5천 대가 FAA에 등록될 것으로 전망되며, 미국 연방항공국에 따르면, 2019년과 2023년 사이에 상업용 드론은 3배로 성장할 것으로 예상되고 있다. 또한 시장조사기관인 Research and Markets에 따르면 드론 운송 시장은 2022년에는 112억 달러, 2027년에는 291억 달러 규모로 크게 성장할 것으로 예상된다. 한편, 글로벌 경영컨설턴트 회사인 McKinsey는 미국의 드론 운송 산업이 2012년 4,000만 달러에서 2017년에는 10억 달러로 증가했다고 보고했다.

한편, 미국에서 현재 비즈니스에 드론을 활용하고자 하는 기업들은 주로 식품 및 상품들을 판매하는 전자상거래 업체나 물류 서비스를 진행하고 있는 회사들이다.

기업명	활용 유형	기타 사항
7-Eleven	우편배송	Flirtey와 제휴를 해서 2016년 7월에 FAA로부터 최초로 택배 서비스를 승인받음
에어버스(Airbus)	우편배송	싱가포르에서 드론을 사용하여 해안에서 선박으로 소포 배송 시험
아마존(Amazon)	우편배송	-Amazon Prime Air 이름으로 30분 내 배송을 목표로 진행 중 -영국에서는 2016년, 미국에서는 2017년 3월에 최초 배송 테스트 진행
보잉(Boeing)	우편배송	2018년 1월 미주리 주에서 최대 500파운드(약 227kg)까지 운반할 수 있는 드론을 선보임
DHL	우편배송	2013년 12월, 독일에서 드론을 사용하여 의약품 배달 시작
도미노(Domino's)	음식배달	2013년 미국, 영국, 인도 및 러시아에서 피자 배달을 테스트. 2016년, Flirtey와 파트너 관계를 맺고 뉴질랜드에서 상업용 배송 서비스 시작
페덱스(FedEx)	우편배송	2014년에 무인 항공기 테스트를 시작했으며, 2019년 2월에는 단거리 배송을 위한 바퀴달린 로봇 배송도 선보임
메리어트(Marriott)	음식배달	2017년, 실내 비행 드론을 사용하여 많은 숙박 시설에서 게스트 테이블로 음료를 배달
우버(Uber)	음식배달	아직 드론과 FAA 승인이 없지만, 맥도날드와 제휴하여 음식 배달 서비스인 UberEats로 음식의 온도를 최대한 유지한 배송을 목표로 하고 있음
UPS	우편, 의료품 운송	Matternet과 제휴하여 2019년 3월, 노스캐롤라이나 병원에서 의료 샘플을 배송하는 물류 프로그램에 드론 사용 발표
월마트(Walmart)	우편배송	미국 인구의 70%가 5마일 내에 월마트가 있는 지역에 살고 있다고 주장. 2019년 6월 현재, 총 97건의 드론 관련 특허 신청 진행 중 (아마존은 54건)

또한 드론 운송 주요 기업들은 다음과 같다. 이들 기업은 드론을 직접 제작하거나, 드론을 이용하여 상품 및 의료품 운송 또는 드론을 운영 및 관리하는 소프트웨어 업체들이다.

기업명	유형	기타사항
3D Robotics	소프트웨어	건설, 엔지니어링 및 광업 회사를 위한 기업용 무인화 소프트웨어를 제작
DJI	제조	중국 심천에 본사를 두고, 전 세계 드론 시장의 70% 이상을 차지하는 상업용과 민간용 드론 산업의 선두 기업
Hubsan	제조	민간용 및 상업 사진가들이 사용하는 드론 제작. Nano Q4 모델은 비행 체중이 11.5그램으로써 전 세계에서 가장 작은 드론
Flytrex	우편배송	이스라엘 기반 회사로써, 드론 배송을 원하는 운송 업체나 소매 업체들을 상대로 비즈니스
Flirtey	우편배송	FAA로부터 2015년 처음으로 드론 배송 승인을 받았고, 2016년 3월에는 도시 지역 운송 승인, 2016년 7월에는 고객 가정에 상업용 배송 승인을 받음
Google	우편배송	FAA에 의해 미국 상업적 배송이 최초로 승인됨. 2014년 이후 소비재와 건축 자재와 같은 무거운 물건을 모두 제공하기 위해 호주에서 운송 서비스를 테스트했음
Matternet	의료품 배송	UPS와 제휴하여 2019년 3월, 노스캐롤라이나 병원에서 의료 샘플을 배송하는 물류 프로그램에 드론 사용 발표
Parrot	소프트웨어	파리를 기반으로 하여 공중 비디오 및 사진을 전문으로 하는 드론 및 어플리케이션 개발
Skycart	우편배송	도시 내에서 30분 내에 배송을 목표로 하는 드론 운송 업체
Yuneec	제조	원래는 무선 조종 항공기 제조업체였으나, 드론 시장의 2위를 차지하는 업체로 성장
Zero Zero Robotics	제조	AI 기술을 활용한 드론 제작. 두 번째 모델인 Hover2는 크라우드 펀딩으로 제작됨
Zipline	의료품 배송	캘리포니아 하프 문 베이에 본사를 두고, 아프리카에 의약품 배달을 제공. 현재 르완다와 가나에 의약품 제공을 위한 운송 프로그램 진행 중

한편, 미국의 드론 주요 유통채널에 관해서는 현재 상업용 드론 운송의 유통 채널은확립 되지 않은 상태이며, 회사별로 개발 및 테스트를 진행 중인 단계이다. 일부 회사들은 의료품 운송을 타 국가에서 실시하고 있다.

또한 자체적인 기술력이 부족한 업체들은 제휴를 통해 드론 운송을 진행하고 있다. 예를 들어 UPS와 Matternet이 의료품의 배송 제휴를 체결했으며, 7-Eleven과 Flirtey의 제휴도 이루어지고 있다. 미국의 드론 운송 사업은 물류 업체와 아마존, 월마트 같은 전자 상거래의 대기업들 위주로 계속 시도되고 있다. 또한 구글은 연방항공국으로부터 상업적 배송에 대한 인가를 받아 2019년 안에 버지니아주 블랙스버그에 있는 소비자에게 실제 물류 배송을 시작하고 있다.

그러나 드론 운송이 특히 도시에서 일반화되기까지는 많은 도전 과제들이 있는데, 첫째는 물품의 무게와 크기 제한이 있으며, 둘째는 드론이 비행 시 발생시키는 소음의 피해에 대한 대처방안이 필요하다. 셋째는 배송비에 대한 문제다. 이는 베터리 교체라든지 안전에 대한 모니터링 및 점검을 하는 인력에 대한 비용 문제를 말한다. 마지막은 환경적인 어려움인데, 이는 강한 바람과 폭우 등으로 인한 비행 자체의 어려움과 다가구 주택에서는 집앞까지 배송이 가능할지에 대한 문제다.

따라서 보안과 안전에 관련한 정부의 규제 이외에도, 실제로 환경과 기술적인 도전과제들로 드론 운송이 일반화되는 데는 시간이 필요할 것으로 보이며, 먼저 응급 서비스 배송 같은 특별한 경우에 적용될 가능성이 높다.[64]

---

64) 미국 운송용 드론(UAV) 시장동향/Kotra 해외시장뉴스
http://news.kotra.or.kr/user/globalAllBbs/kotranews/album/781/globalBbsDataAllView.do?dataIdx=175941&column=&search=&searchAreaCd=&searchNationCd=&searchTradeCd=&searchStartDate=&searchEndDate=&searchCategoryIdxs=&searchIndustryCateIdx=&searchItemName=&searchItemCode=&page=2&row=10

2) 터키

터키 종합 일간지 밀리예트(Milliyet)의 자료에 따르면 터키 드론 시장 규모는 2018년 기준 3천만 달러를 기록하였으며, 터키 내 등록된 드론 수는 2016년 8,349대에 불과했으나 2018년에는 32,100대로 약 4배 증가, 드론 조종사는 11,839명에서 48,800명으로 증가하였다. 터키 내에서 드론은 취미·오락용, 산업용, 군사용 등 다양한 분야에서 사용되고 있으며, 특히 산업용 드론이 유망 분야로 주목받고 있다.

전문가들은 2024년까지 터키의 드론 수입액이 120억 달러 규모로 증가할 것으로 전망하였고 터키 정부는 드론 수입을 줄이고 국산화를 위해 사카리아(Sakarya) 지역의 사이언스 파크 내에서 드론 연구개발 진행 중이다. 또한 현지 드론 제조업체 Drone market과 Termal drone 등은 정부의 지원을 받아 민수용, 군수용 드론 개발에 힘쓰는 중이며, Drone market은 군수용 드론 500대를 개발하여 방글라데시 군대에 납품하는 성과를 이루기도 했다.

업계 관계자에 따르면 향후 인프라 사업과 농업용 드론 수요가 가장 많이 증가할 것으로 전망하며, 이외에도 광물 탐색, 매핑(Mapping), 건설업, 에너지 산업 등 다양한 분야에서 수요가 발생하고 있다고 밝혔다. 한편, 정부는 군사 보안, 정보 수집, 국경 순찰, 산불 및 자연재해 사고 대응, 수색·구조 등의 분야에 드론을 활용하고 있다.

현지 유통업체에 따르면 터키 드론 시장은 중국의 DJI가 선도하고 있으며, 민수용 드론 시장에서는 중국 외에도 프랑스의 Parrot, 홍콩의 Silverlit 제품의 수요가 많은 편이다. 최근에는 Altar, INSPIRE, Aden, Corby 등의 터키 자국산 드론도 등장하여 민수용, 군수용 시장에 유통되고 있다. 터키 내 주요 드론 브랜드들은 다음과 같다.

회사명	본사 소재지
DJI	중국
Xiaomi	중국
Parrot	프랑스
Silverlit	홍콩
TAI	터키
Termal drone	터키
Drone market	터키
Ape drone	터키
Corby drone	터키

터키 내의 드론 유통구조는 드론 제조사들이 직접 제품을 공급하기도 하지만 통상적으로 유통 업체를 통해 납품하는 방법을 선호한다. 따라서 터키 드론 시장에 진입하려는 외국 기업들은 이러한 유통업체들을 잘 발굴하여 납품하는 방법이 효과적이라고 할 수 있다.

또한 터키 내 일부 업체를 제외한 주요 유통업체들은 기존에 전자장비, 영상장비 및 카메라, 캠코더 등을 취급하던 업체들이며, 이러한 업체들은 기존의 네트워크를 활용하여 제품의 효과적인 유통경로를 잘 파악하고 있기 때문에 터키 드론 납품 시, 바이어의 협력을 확인하는 것이 필수적이다.

터키 내 드론 주요 오프라인 판매처로는 대형 전자제품 판매점인 Teknosa, Arçelik, 대형 서점인 D&R, 대형 완구점Toyzz Shop, 이동통신사 Turkcell 등이 있으며, 온라인 판매처는 n11, Trendyol, Hepsiburada 등의 소셜커머스와 온라인 드론 전문 쇼핑몰 및 완구 쇼핑몰인 DroneNetTR, oyuncakhobi, Drone market 등이 있다.

드론업계 관계자는 드론에 대한 터키 내 인프라산업과 농업 부문에서 가장 큰 수요가 증가할 것으로 예상하면서 향후 에너지, 매핑 등의 산업 뿐만 아니라 군수 부문에서도 지속적인 수요가 발생할 것이라고 덧붙였다. 또한 터키 수입 시장 내에는 중국산 제품의 점유율이 가장 높은 편이나, 미국, 유럽, 한국산 제품의 수요도 존재하며, 터키 내의 드론 유통구조는 대부분 전자장비, 카메라, 영상장비등을 취급하던 업체들이 기존에 취급하던 제품을 기반으로 파악한 유통경로를 통해 제품을 납품하는 구조이므로, 터키 시장에 진출하려는 외국기업들은 기존의 터키 시장내에서 업력이 높은 바이어를 선정하는 것이 유리하다고 볼 수 있다.

한편, 터키 정부는 역내 유통되는 드론에 대해 CE 인증을 강제하고 있으며, 제조업체, 유통업체에게 정부에 등록하도록 요구하고 있다. 중량 500g 이상의 드론을 사용할 경우, 드론 사용자도 정부에 등록이 필요하다.

정부의 규제에 따라, 터키 드론 시장은 500g 미만과 500g 이상으로 양분화 되어있기 때문에 오락·취미용 드론으로 터키 시장 진입을 계획하고 있는 업체는 드론의 총 중량이 500g을 초과하지 않도록 주의할 필요가 있다.[65]

---

65) 떠오르는 터키 드론 시장/Kotra 해외시장뉴스
http://news.kotra.or.kr/user/globalBbs/kotranews/782/globalBbsDataView.do?setIdx=243&dataI
dx=178348

3) 독일

독일의 드론 산업규모는 총 5억 7,400만 유로이며, 산업용 드론 시장은 4억 4000만 유로로, 전체 드론 시장의 76.5%를 차지하고 있다. 또한 독일 내 운영 중인 드론 수는 약 474,000대로 이중 산업용 드론의 비율은 약 4% 수준인 19,000대이며 나머지 96%는 개인 소유의 일반 민간 소비용 드론으로 알려져있다.

독일 드론 시장은 대부분 하드웨어와 서비스마켓이 차지하고 있으며 드론용 소프트웨어 산업의 시장규모는 3천 700만 유로 수준으로 전체 드론 산업규모의 6.4% 수준이다. 또한 독일 내 드론 관련 기업 수는 약 400개사로 평균적으로 기업의 직원 수는 12명, 연간 매출은 33만 유로이며 기업 설립 년 수가 평균 3년 이하의 신생기업들이 다수로 알려졌다.

한편 독일 드론시장은 2030년까지 상업용 드론의 경우 563%의 성장이 예상되며, 개인소비용 드론의 경우도 58%까지 지속 성장이 예상되는 산업이다. 산업규모면에서도 2030년까지 매년 평균 14%이상 성장이 예상되어 2030년의 경우 독일 드론 시장규모는 27억 유로까지 성장할 것으로 보인다.

독일 내에서 드론을 판매하고 있는 주요기업들을 정리하면 다음과 같다.

기업명	국가	주요판매모델
Ryze	중국	DJI Tello
Airborne Robotics GmbH	오스트리아	AIR6 AIR8
AirRobot	독일	AR100-B AR100-C
DJI	중국	DJI Mavic 2 DJI Mavic Air
XIAOMI	중국	FIMI X8 SE MI Drone
Parrot	프랑스	Anafi
Hubsan	중국	Zino(H117S)
Jamara	독일	Payload Loky
Walkera	중국	V450 F210
EMT	독일	Fancopter

독일 드론 시장은 현재 상업용 드론의 수요가 지속적으로 성장하고 있는 추세이며, 이는 2030년까지 크게 확장될 것으로 전망된다. 민간 소비용 드론 제품의 경우, 판매대수는 증가할 것으로 예상되나 매출액부분에서는 큰 폭의 성장세가 이뤄지지 않아 향후 주로 저가형 드론 제품의 소비가 증가 할 것으로 예상된다.

이에 따라 독일 내 상업용 드론의 주 고객층인 기업고객을 대상으로 마케팅 전략을 집중해야 할 필요가 있으며 독일 시장 진출을 위해 판매, 유통 및 서비스를 현지화하여 중국 등 외국 경쟁사와의 차별화된 진출 전략 수립을 검토해 볼 필요가 있다.[66]

66) 독일 드론 시장동향/Kotra 해외시장뉴스
http://news.kotra.or.kr/user/globalBbs/kotranews/799/globalBbsDataView.do?setIdx=254&dataI
  dx=177996

4) 중국

중국의 민용 드론은 상대적으로 저렴한 원가, 높은 안정성 및 기동성을 통해 항공 촬영, 농업 및 공업 생산과정, 재해구조활동, 공공안전시설 및 오락산업 등 광범위한 분야에서 널리 사용되고 있다. 이에 따라 중국 내에서 민용 드론산업은 차세대 과학기술산업으로 급부상하고 있으며 국무원이 주도하는 <중국제조 2025> 계획 하에 중국 경제 성장의 새로운 동력이 될 것으로 전망된다. 또한 민용 드론의 주 소비자는 정부 부문, 상업 회사, 개인 등이 있으며 민용 드론시장은 주로 소비자용 및 산업용 드론시장으로 분류되고 있다.

한편, 중국 민용 드론산업은 중국 정부의 정책적 지원, R&D 투자 등으로 빠른 속도로 증가하고 있는 시장으로, 2020년 중국 내 드론시장 규모는 257억 1000만 위안에 달했다. 이러한 중국 드론산업에서 가장 큰 영향력을 미치고 있는 기업은 중국의 深圳市大疆创新科技有限公司(DJI)로, 전 세계 드론시장의 70%을 점유하고 있으며 DJI(大疆)는 높은 기술력, 거대한 중국 내수 시장, 선전의 우수한 인프라 및 정책적 지원을 활용해 선도 기업으로 급성장하고 있다.

중국 내 주요 드론 제조 기업을 정리하면 다음과 같다.

응용분야	기업명	설립연도
항공 촬영 및 엔터테인먼트	深圳市大疆创新科技有限公司	2006
농림업 및 식물보호	深圳市大疆创新科技有限公司	2015
	安阳全丰航空植保科技有限公司	2013
	无锡汉和航空技术有限公司	2012
	广州极飞科技有限公司	2015
	北方天途航空技术发展（北京）有限公司	2013
전력 설비 검사	武汉易瓦特科技股份公司	2010
	北京臻迪科技股份有限公司	2012
경찰서 등 공공 집무집행 기관용	深圳一电科技有限公司	2012
	武汉易瓦特科技股份公司	2013
	北京鹰眼电子科技有限公司	2011

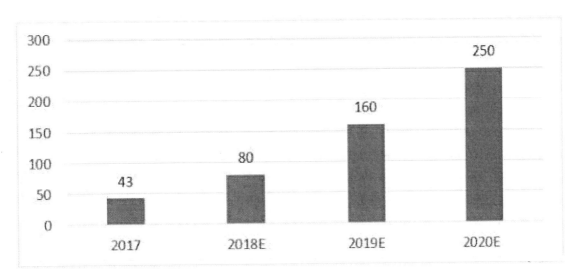

[그림 31] 중국 내 항공촬영 드론시장 규모(단위: 억 위안)

중국의 항공촬영 드론시장은 민용 드론시장 내에서 가장 많은 점유율을 지니고 있으며, 중국 내 민용 드론 생산공장의 42.8%가 항공 촬영드론 생산 공장으로 알려졌다. 최근 들어 세쿼이야 캐피탈(Sequoia Capital), 레드포인트 벤처스(Redpoint Ventures) 등 글로벌 거대 투자기구, 인텔, 구글 및 텐센트, 샤오미 등의 중국 유명 국내기업들 또한 소비자용 드론시장에 진출하고 있는데, 대부분 신흥기업들이 많다.

하지만 이러한 발전과 동시에 중국 내 다수의 민용 드론 개발업체들이 자체 핵심 개발기술 부족 및 관리의 미성숙으로 인해 판매 부진 및 자금 문제를 겪고 있으며, 이에 따라 개발 프로젝트를 중단하거나 도산하는 경우가 많은 것으로도 알려졌다.

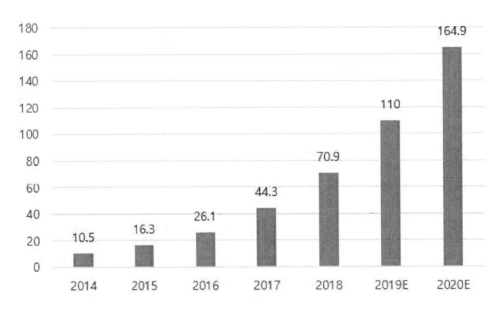

[그림 32] 중국 내 산업용 드론 시장 규모(단위:억 위안)

2010년대에 이르러 중국 산업용 드론시장 규모는 매우 빠른 속도로 성장하고 있으며 2016년 국내 산업용 드론 판매액은 26억1000만 위안에 도달하여 그 후로 지속적으로 증가해왔다. 이에 따라 2020년 판매액은 약 164억 위안에 이르렀다.

한편, 산업용 드론의 응용 분야는 농업, 임업, 전력설비관리, 석유관 검사, 국토측량, 해양관측, 기상탐측, 인공강우, 항공원격조정, 재난구조, 환경보호, 삼림화재방지, 교통 CCTV, 물류산업, 의료구호, 지질탐사, 신문보도, 야생동물보호 등으로 범위가 매우 광범위하며, 소비가 주로 산업분야에 편중되기 때문에 높은 기술력과 소비자인 기업과의 반복적인 피드백 과정이 필요하다는 특징이 있다.

이와 같이 지속적으로 수요가 증가하고 있는 중국 내 산업용 드론은 소비기업의 드론 사용기간이 짧기 때문에 따로 전문 기술요원을 두지 않고 대부분 렌털방법을 채택하는 방식으로 이루어진다. 이에 따라 임차업체는 사용시간, 사용 장소 및 기기 사양 등에 대한 요구를 제시하고 임대업체는 위 조건에 근거해 가격을 산정하며, 임차업체는 일정 비용을 먼저 선입금한 후 렌탈기간이 만료된 후 나머지 금액을 지불하는 방식이다.

드론 생산업체들은 일반적으로 해당 성 내에 위치한 임차업체들에는 직접적인 렌털 서비스를 제공하고, 기타 성(省)에 위치한 임차업체에 대한 서비스는 전문 위탁업체를 통해서 대리 서비스를 제공한다. 생산업체와 전문 위탁업체는 합작 계약을 체결해 제품 공급 및 수리, 리스크 관리 및 이익 공유 등에 관한 책임 및 권리를 설정하고 있다.[67]

한편, 군사용 드론분야에서는 고성능 무인 항공기를 제작할 수 있는 국가 자체가 제한적이기 때문에 중국을 포함해 미국, 이스라엘 3개국이 이 시장을 장악하고 있는 실정이다. 중국의 군용 무인항공기 산업은 2022년까지 연평균 15% 성장하여 20억달러 규모에 달할 것으로 예상되고 있다. 중국은 그동안 글로벌 군용 무인항공기 시장을 장악해온 미국과 이스라엘 사이를 상대적으로 낮은 가격 경쟁력으로 공략해왔다. 이로 인하여 중국의 무인항공기 기술은 중동국가에서 환영받고 있다. 특히 아랍에미리트, 이라크, 사우디아라비아 등 중동 국가들이 중국의 무인항공기를 채택한 부대를 운용하고 있다. 중항공업(中航工業)의 이룽(翼龍) 무인 항공기 시리즈, 항천과기(航天科技)의 차이훙(彩虹)이 중국의 대표 무인항공기로 해외에서도 높은 인지도를 갖고 있다. 한편, 이룽1은 정찰과 타격이 동시에 가능한 무인 항공기로, 2007년 출시되었으며 후속 모델인 '이룽2'는 성능 면에서 세계 정상급 수준의 대형 무인항공기로 평가된다.[68]

---

67) 중국 무인기(드론) 시장동향/Kotra 해외시장뉴스 중국 청두무역관
http://news.kotra.or.kr/user/globalAllBbs/kotranews/album/2/globalBbsDataAllView.do?dataIdx=167669
68) [업종분석] 세계 하늘 장악에 나선 중국 드론 산업/뉴스핌

5) 일본

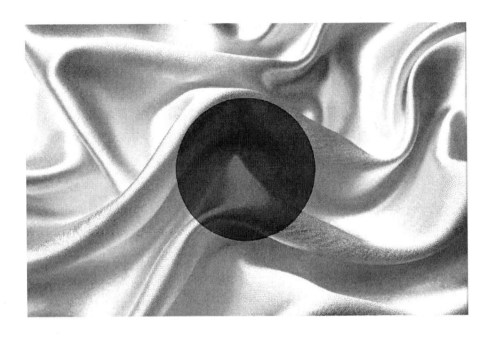

일본의 드론 시장은 향후 급성장이 기대되어 2024년에 2017년 대비 7배까지 확대될 전망이다. 일본은 2015년 말 시행된 개정 항공법으로 드론 비행 규제 방향이 결정되었으며, 사업화 무대가 마련된 이후 인프라 점검, 택배, 토지 측량 등 다양한 분야에서 드론을 활용한 비즈니스나 실증 실험이 활발해졌다. 2020년 이후에는 도시 지역에서의 수송도 일정 조건 하에서 인정되어 드론 비즈니스 확대에 대한 기대가 높은 상황이다.

일본 국내의 드론 비즈니스 시장규모는 503억 엔으로 추측되며, 2016년의 353억 엔에서 42.5%인 150억 엔이 증가, 2018년에는 860억 엔(동 71.0%)으로 확대되었다. 이후 2024년에는 2017년도의 약 7배인 3,711억 엔으로 확대될 전망이다.

일본 드론 비즈니스의 시장규모는 '기체(업무용 완성품의 판매가격. 군사용 제외)', '서비스(드론을 활용한 기업의 해당 매상액. 자사 보유 드론 활용 시 외부 위탁의 경우를 상정해 추계)', '주변 서비스(배터리 등 소모품 판매액, 정기 유지보수 비용, 인재 육성이나 임의 보험 등)'의 3가지로 분류될 수 있다.

이러한 분류법에 따라 분야별로 살펴보면, 2017년은 기체 시장이 210억 엔(점유율 41.7%)으로 가장 크고, 드론을 이용한 서비스 시장이 155억 엔(점유율 30.8%), 주변 서비스 시장이 138억 엔(점유율 27.4%)규모였다. 또한 이후 2024년에 서비스 시장은 2,530억 엔(점유율 68.2%)으로 가장 커지고, 기체 시장은 730억 엔(점유율 19.7%), 주변 서비스 시장은 451억 엔(점유율 12.2%)으로 성장될 전망이다.

일본의 주요 드론 업체들의 사업 추진 현황을 정리하면 다음과 같다.

에어로센스	에어로센스는 소니와 자동운전기술개발로 주목을 받은 ZMP가 설립한 벤처 기업. 토지측량 및 인프라 점검 등에 진출
엔루트	취미용 무선조종헬기에서 출발. 엔루트는 농약 살포 등에 사용하는 농업용 드론을 장점으로 내세움. 측량이나 인프라 검사에도 이용되고 있음.
자율제어 시스템 연구소(ACSL)	경비, 접객 등 각종 업무를 사람을 대신해 서비스 제공하는 로봇을 제조. 드론에서는 완전자율형을 연구, 2015년부터 양산 개시. 2018년 12월 상장
프로 드론	산업용 드론이 주력 제품, 2015년 설립. 컨설팅, 연구개발, 제조, 유지관리까지 폭넓게 수주. 쿠보타와의 대규모 계약을 획득
테라 드론	전동 오토바이 벤처의 테라모터스 자회사, 2016년 설립. 히타치 건기와 공동으로 측량 서비스도 개시. 호주나 동남아시아 등 해외 전개.
스카이 로봇	산업용 드론을 개발 판매하는 벤처, 2014년 설립. AI 탑재의 조난자 탐색 시스템 등을 다룸.

[표 12] 일본 주요 드론 업체들의 사업 추진 현황

전 세계 드론 시장에서 중국 메이커의 점유율은 70%~90%로 일본 드론 기재시장에서도 마찬가지로 판매 제품의 대부분은 중국 메이커 DJI 제품이다. 일본 대기업 중에서는 야마하(농약 살포용), 코마쯔(건설공사 현장사찰), 라쿠텐(배송), 세콤(순회감시), 파나소닉 덴소(인프라 점검) 등이 있지만 아직 실증연구 단계로 사업화된 것은 거의 없다.

또한 중국산 저가 기체가 석권하고 있는 이유로, 일본 국내 제조업체의 반격은 솔직히 어려운 상황이다. 중국 제조업체만도 300여 개로 가격 경쟁력에서 밀리므로 농약 살포나 설비 점검 등 용도를 좁힌 개발에서 일본 기업의 차별화가 필요할 것으로 보인다.

그러나 일본은 소자 고령화로 인구가 감소 중이며 산간부의 많은 취락 및 하천, 낙도 지역 등 지리적으로 드론을 유효하게 활용할 수 있는 환경이므로 드론 비즈니스에 거는 기대가 특히 크다고 볼 수 있다.

일본 드론 산업의 유통구조를 살펴보면, 드론 제조업체도 제품도 아직 일본 시장에는 적은 상황이기 때문에 일반 가전제품과 같은 도매 단계의 판매 회사와 같은 형태가 아닌, 업체의 영업소(외국 업체라면 일본 총 대리점 등)가 도매 기능을 수행하는 형태나 제조사와의 직거래 형태가 많은 것으로 보인다.[69]

---

69) 일본 드론 시장동향/Kotra 해외시장뉴스 일본 도쿄무역관
http://news.kotra.or.kr/user/globalAllBbs/kotranews/album/2/globalBbsDataAllView.do?dataIdx
=171903&searchNationCd=101003

6) 폴란드

구분	2019	2020	2021	2022	2023	2024	2025
서비스	25.0	43.7	78.9	145.5	273.2	518.2	988.6
소프트웨어	5.0	8.9	16.3	30.4	58.0	111.6	216.0
합계	30.0	52.6	95.2	176.0	331.2	629.7	1,204.6

[표 13] 폴란드 드론 관련 솔루션 시장규모 및 전망(단위: 백만달러)

폴란드 드론 관련 솔루션시장은 유럽 전체에서 독일, 영국 다음으로 세 번째로 큰 규모를 보이고 있는데, 외신에 따르면 폴란드는 2016년도 폴란드 드론 관련 솔루션시장 매출 점유율에서 유럽 전체 2.71%로 독일(27.62%), 영국(13.38%) 다음으로 3위를 차지하였으며, 2025년까지는 폴란드가 유럽 전체 시장의 5.29%를 차지할 것으로 전망되고 있다. 또한 GVR에 의하면, 폴란드 드론 관련 솔루션 시장규모는 2025년까지 연평균 76.74%의 성장률이 전망된다.

구분	2017	2018	2025
영화·사진촬영 (Filming & Photography)	4.7	7.4	441.1
지도·측량(Mapping & Surveying)	2.5	4.1	259
데이터수집·분석(DA & A)	1	1.7	159
감시·수색(Surveillance & SAR)	0.8	1.4	113.5
3D 모델링(3D Modeling)	0.6	0.9	70.5
운송·배송(Delivery Service)	0	0	1.6
기타	1.3	2.2	160
합계	11	17.7	1204.6

[표 14] 폴란드 드론 관련 솔루션 응용 분야별 시장현황 및 전망 (단위: 백만 달러)

폴란드 드론 관련 솔루션시장은 응용 분야별로 볼 때, 영화·사진촬영 부문이 43.1%로 가장 많고, 다음으로 지도·측량 부문 22.9%, 데이터 수집·분석부문이 9.2%, 감시·수색부문이 7.3%, 3D모델링 부문이 5.5%를 차지하고 있다. 또한 2025년에는 영화·사진촬영 분야가 4억4110만 달러 규모로 연평균 73.39% 성장할 예정이며, 지도·측량 분야는 2억5900만 달러 규모로 연평균 75.09% 성장, 데이터수집·분석 분야는 1억5900만 달러로 연평균 84.91% 성장, 감시·수색 분야는 1억1350만 달러로 연평균 81.43% 성장이 예상된다.

구분	2017	2018	2025
부동산·건설 (Real Estate & Construction)	3.1	5.0	314
미디어·엔터테인먼트 (Media & Entertainment)	2.4	3.9	238.6
에너지(Energy)	2.5	4.0	299.4
농업(Agriculture)	1.1	1.7	118.2
보안·공무집행 (Security & Law Enforcement)	0.6	1.0	67.9
로지스틱·운송 (Logistic & Transportation)	0	0	2.5
기타	1.3	2.1	163.9
합계	11	17.7	1204.6

[표 15] 폴란드 드론 관련 솔루션 엔드유저 산업 부문별 시장규모 및 전망(단위: 백만 달러)

드론 관련 서비스 및 소프트웨어는 많은 산업부문에 걸쳐 사용되고 있는데, 주요 엔드유저가 되는 산업분야는 부동산·건설 부문, 미디어·엔터테인먼트 부문, 에너지 부문, 농업부문, 보안·공무집행 부문이며, 2017년 기준 각각 순서대로 28.2%, 21.8%, 22.7%, 10%, 5.5%의 비율을 구성하고 있다. 최근 드론시장이 빠르게 성장하는 가운데, 폴란드 드론시장이 동유럽 및 세계의 핵심 드론시장으로 부상하면서 시장규모는 2023년까지 약 7억8000만 달러 규모로 성장할 것으로 전망되고 있다.

또한 상업용 드론시장의 성장 잠재력은 매우 크며, 무한한 활용범위로 인해 다양한 산업분야에 응용될 전망이며, 드론산업의 성장은 ICT 융합산업의 새로운 트렌드로, 해당 산업에 주력하는 국내 기업에 좋은 진출의 기회를 제공할 것으로 판단된다. 따라서 폴란드 현지진출을 위해 여러 산업분야에 응용되는 창의적이고 다양한 제품개발 및 기술력을 바탕으로 경쟁력 있는 제품 개발이 중요한 실정이다.[70]

---

70) 폴란드 드론시장과 관련 산업 성장 전망/Kotra 해외시장뉴스 폴란드 바르샤바무역관
https://news.kotra.or.kr/user/globalAllBbs/kotranews/album/2/globalBbsDataAllView.do?dataId
x=166087&searchNationCd=101019

(2) 국내 최근이슈

　국내의 드론시장은 군수용에서 시작하여 취미와 레저용으로, 최근에는 산업용, 여객·화물 수송 등 에어모빌리티로 성장하였다. 또한 최근 환경·치안·국토조사·농업·에너지 등 다양한 분야에서 활용되며 가파른 성장이 예상돼 4차 산업과 혁신을 이끌어가는 주요 분야로 부상하기도 했다. 우리나라는 미래먹거리 산업으로 혁신성장을 선도하기 위하여 「드론산업발전기본계획('17.12)」에 따라 공공수요 창출, 규제개선, 산업생태계 조성 및 시험·실증 인프라 구축 등을 추진하고 있으며 드론산업은 정부 혁신성장 8대 선도 사업 중 하나로 중점을 두고 추진 중('17.12~)에 있다. 이에 드론 기체신고, 사용사업체, 조종자격자 등의 주요지표가 최근 3년 간('16~'18) 46~244%로 증가하는 등 가파른 성장세를 보이고 있다.

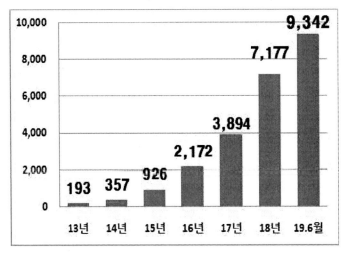

[그림 34] 드론기체 신고 대수 (2019.6월 누적기준)

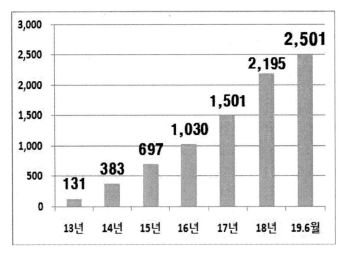

[그림 35] 드론 사용사업체 개수(2019.6월 누적기준)

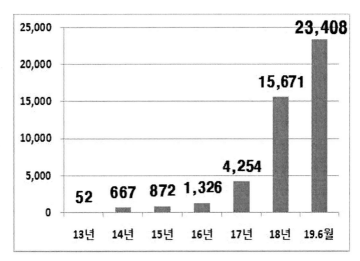

[그림 36] 조종 자격 취득자 명수(2019.6월 누적기준)

1) 드론 분야 선제적 규제혁파 로드맵 구축

국내에서도 드론 산업에 대한 속도에 박차를 가하고 있다. 정부서울청사에서 열린 국무총리 주재 국정현안점검조정회의에서 '드론 분야 선제적 규제혁파 로드맵'을 확정했다는 소식이 전해진 것이다.

로드맵의 핵심적 내용에는 드론택시나 택배드론 등이 오갈 수 있는 드론 전용공역의 단계적 구축, 불법드론을 탐지하기 위한 장비 도입 합법화, 드론 연구 및 개발 지원 등의 안건이 담겨있다.

이에 따라 정부는 이러한 안건들을 국내 드론산업 현황과 기술적용 시기에 맞춰 3단계(현재~2020년, 2021년~2024년, 2025년 이후)로 재분류하고 인프라·활용영역에서 총 35건의 규제 이슈를 발굴했다. 인프라 영역에서는 국민 안전과 사업 활성화 지원을 고려해 드론전용공역 등 드론교통관리체계 개발·구축, 안티드론 도입, 국가 중요시설 등 비행허가 기준 마련, 드론비행정보 시스템 구축, 드론공원 조성 확대 등이 선정됐다. 특히 안티드론 도입과 관련해서는 최근 사우디아라비아 석유시설 드론 테러 등과 같은 불법드론 운용을 방어하고자 전파법에서 금지한 전파차단(재밍) 장비 도입·운영을 합법화하는 내용이 포함됐다.

로드맵의 자세한 사항은 본 서의 뒷내용에 이어질 '국내 드론산업정책동향'에서 확인할 수 있다.[71]

---

71) 드론길 활짝 열린다/헤럴드경제

2) 한국감정평가사협회, 드론 활용한 감정평가 시범사업

한국감정평가사협회는 한국국토정보공사(LX)와 함께 감정평가 현장조사에 드론을 활용하는 시범사업을 진행한다는 소식을 전했다.

감정평가사협회가 이번 현장조사에서 드론을 활용하려는 이유는, 드론을 활용하면 정밀한 정보를 제공받을 수 있다는 장점과 함께 감정평가사뿐만 아니라 개별공시지가를 담당하는 공무원들에게도 많은 도움이 될 것이라 예측했기 때문이다. 실제로 시범사업을 통해 감정평가사가 감정평가 과정에서 토지이용상황과 도면을 현장조사하면 LX는 드론으로 촬영한 입체영상을 감정평가사에게 제공하기로 했다. 또한 감정평가사는 드론 촬영을 통해 정사영상을 비롯해 3D모델링 영상, 360VR 등 다양한 입체적 정보를 제공받을 수 있다.

이에 감정평가사협회 연구원은 이번 시범사업을 통해 감정평가업무의 효율성이 높아지고 적정한 감정평가를 할 수 있을 것으로 기대한다며, 시범사업을 기반으로 드론 활용도를 높여서 다양한 감정평가업무에 적용할 계획을 밝혔다.[72]

---

72) 한국감정평가사협회 LX와 드론 활용한 감정평가 실시/파이낸셜 뉴스

3) 군 소형드론 운용 절차 간소화

방위사업청이 군이 운용하는 소형 드론의 비행안전성 인증과 관련한 「군용항공기 비행안전성 인증에 관한 법률」을 통해 군 소형드론 운용 절차를 간소화한다는 방침을 밝혔다. 비행안전성 인증이란 군용항공기가 운용범위 내에서 비행안전에 적합하다는 정부의 인증을 말한다.

이번 방침에 대하여 방위산업진흥청 관계자는 드론 관련 비행안전성 인증 대상이 민간 수준으로 합리화됨에 따라 군의 상용 드론 운용이 활발해지는 계기가 될 것으로 기대된다고 밝혔다. 그동안 군은 상용 드론을 구매하여 사용하는 경우에도 무게와 상관없이 다른 군용 무인항공기와 동일하게 비행안전성 인증을 받아야 해서 지나친 규제라는 논란이 있어왔다.

그러나 최근 기술의 발달과 더불어 다양한 용도의 고성능 드론이 개발됨에 따라 우리 군도 드론을 정찰 등 군사용 목적으로 운용하기 위해 시험 중이며, 민간에서 사용하는 드론은 최대 이륙중량이 25kg 이하인 경우 비행안전성 인증 대상에서 제외된다.

이번 개정 시행으로 무장을 하지 않는 드론의 경우 민간 기준과 동일하게 최대 이륙중량 25kg 이하는 비행안전성 인증 대상에서 제외되며, 기준 이하 상용 드론을 구매하거나, 개발할 때 감항인증 절차도 생략할 수 있어 군의 소형 드론 획득 및 운용이 더욱 간소화될 예정이다.[73]

---

73) 軍 소형드론 운용 쉬워진다/파이낸셜 뉴스

4) 드론활용한 통합방위체계 구축 시연

  수원시와 제51보병사단이 드론을 활용해 통합방위체계를 구축했다는 소식을 전했다. 시민들에게 보다 스마트한 도시안전을 보장하는데 잊징시기 위해 수원시 등 10개 시사제는 예비군육성지원예산을 지원했으며, 수원시는 LTE 기반 영상전송 체계 서버 예산도 지원했다고 밝혔다.

  51사단은 다가오는 인구절벽과 육군병력 감축을 골자로 한 국방개혁 진행 상황에 혁신적으로 대응하고, 후방에서 드론을 적극 활용하도록 지역예비군 기동대에 드론 감시 정찰반을 편성한다는 계획을 밝혔으며, 수원시장은 수원시를 드론산업화의 전진기지로써 장점을 살려 예비군과 드론을 활용한 안보체계를 확립할 것이라고 전했다.

  이에 따라 이번 통합방위체계 합동 구축이 테러·재난과 같은 위급 상황 속에서 시민을 지키는데 효과적으로 드론을 활용할 수 있는 방안을 모색하기 위한 의미 있는 자리라고 덧붙였다. 그동안 드론은 지적조사 등 행정영역에서는 이미 일상화되었지만, 도시안전보장을 위한 용도로는 아직 상용화되어있지 않기 때문이다.

  제51사단장은 후방지역의 특성을 살려 상용통신망을 이용해 혁신적으로 국민의 안전과 생명을 보호할 수 있도록 지속적으로 사업을 추진하겠다고 언급했다.[74]

---

74) 드론 활용 민·관·군·경 통합방위체계 구축 시연/e수원뉴스

5) 두산, 드론용 수소연료전지팩 양산

 두산모빌리티이노베이션이 2시간 비행이 가능한 드론용 수소연료전지팩 'DP30' 제품을 출시한다는 소식을 전했다. 또한 본격적인 제품 양산과 판매에 나선다고 밝혔다.

 드론용 수소연료전지팩 'DP30'은 세계 최초로 수소연료전지를 활용해 획기적인 드론 비행시간을 구현한 제품으로, 인프라 산업 현장 및 물류운송 산업에서 다양하게 쓰일 예정이며, 두산의 끊임없는 연구개발로 인해 제품 신뢰성, 내구성, 안정성을 확보하고 양산 체제를 구축하였다. 이 제품은 두산모빌리티이노베이션 공식 홈페이지 내 온라인 스토어를 통해 주문하고 배송받을 수 있다.

 한편, 두산은 드론 비행과 임무 정보를 저장·응용할 수 있는 드론용 소프트웨어 'DMI View'도 공개하고 건설현장 맵핑(지도 제작), 시설물 안전 점검, 실종자 수색 및 오염원 발견 등 장시간 드론 비행으로 가능한 작업을 시연했다. 드론이 촬영한 영상은 LG유플러스 영상전송솔루션을 통해 행사장 내에서 실시간 상영됐다.[75]

---

75) 드론 2시간 비행 시대, 두산 수소연료전지가 열었다/머니투데이

6) 광주광역시, 1만㎡ 규모 드론공원 구축

광주광역시가 본격적인 드론 실증도시 구축사업의 닻을 올렸다. 광주시는 지난 16일 광주시청 소회의실에서 '2021년 드론 실증도시 구축사업' 착수식을 개최했다. 이날 착수식에서 광주시는 드론 실증도시 구축사업의 추진 배경과 과정을 설명하고 사업을 성공적으로 추진하기 위한 논의를 진행했다.

 광주광역시가 드론 저변 확대와 시민들의 레저활동을 위해 영산강변인 광주 북구 대촌동 '광주시민의 숲' 인근에 드론공원을 조성하기로 했다. 광주시는 이를 위해 익산지방국토관리청, 북구 등과 '드론 공원 조성 업무협약'을 체결했다고 밝혔다.
참여기업들은 수소방역드론과 방수드론, 비행선드론 등을 이용한 실증을 진행한다. 세부 사업 내용은 ▲비행선드론을 활용한 상습 피해지역 순찰임무 실증(한국스마트드론) ▲방수드론을 활용한 지형측량 실증(공간정보) ▲재난 발생 위험지역 출동과 영상 전송 실증(무한정보기술) ▲수소방역드론을 활용한 재난 복구 임무 실증(호그린에어) 등이다. 또 지난 2월 광주시와 인공지능(AI) 업무협약을 체결한 무한정보기술이 관제 플랫폼을 구축한다.
16일 광주시청서 '2021년 드론 실증도시 구축사업' 착수식에 들어갔고 이달부터 11월까지 첨단산단·영산강변·양동시장 일원서 실증에 착수한다. 이번 사업을 통해 광주 상습 수해지역의 피해 예방·대응·복구 등에 드론을 활용하겠다는 구상이다.

광주시는 도심 속에 운용되는 드론에 시민이 놀라지 않도록 세부 일정을 홈페이지에 사전 공개하는 등 홍보를 강화하고 안전요원을 배치해 사업을 추진한다. 아울러 향후 수해뿐만 아니라 다양한 재난상황에 대응할 수 있도록 드론기술과 연계한 재난안전시스템을 발전시켜 안전도시 광주를 실현하겠다는 포부다.

손경종 광주시 인공지능산업국장은 "이번 드론 실증도시 사업을 통해 지역 드론기업의 기술을 고도화하고 조기 상용화와 사업화를 적극 지원할 계획"이라며 "4차 산업혁명 시대의 핵심인 드론산업에 대해 시민이 체감할 수 있는 좋은 기회가 될 것으로 기대한다"고 말했다.

7) 충남도, 공공분야 드론 조종인력 양성

충청남도기 '공공분야 드론 조종인력 양성 사업'을 본격 추진한다고 밝혔다. 이는 일선 시군 공무원들의 드론운영 능력 향상을 위해 추진되는 사업으로, 충남도가 국토교통부 공모사업에 선정된 후속 조치로 이루어질 예정이며, 드론 운영에 즉시 투입될 수 있는 전문 인력을 양성, 공공분야의 부족한 수요를 해결하는 것이 주된 목적이다.

교육은 국토조사분야 임무특화교육에 15명이 배정돼 천안과 공주, 논산 드론 교육장에서 기수별 3주간 진행된다. 주요 내용은 비행이론·조종 교육을 통한 드론조종자격 취득과 실전비행·지도제작을 위한 임무특화 교육으로 전액 국비로 지원 된다.

충남도는 이번 교육이 드론 전반에 대해 폭넓게 이해하고 실습할 좋은 기회로 시군 공무원들의 드론업무 활용에 큰 도움이 될 것으로 기대하면서 드론업무의 유기적인 연계를 통한 행정 효율성 제고를 위해 교육 대상자는 '혁신성장의 날개, 드론의 비상'지식동아리 회원 중에 시군별 1인을 선정했다며 향후 시군 드론영상 실시간 중계시스템 운영에도 조종인력을 활용할 예정이라고 밝혔다.[76]

---

76) 충남도, 공공분야 드론 조종인력 양성 본격화/파이낸셜뉴스

8) 송전선로용 드론 시험비행 성공

전력분야에도 드론 활용이 활성화되고 있다. 한전전력연구원은 최근 송전탑 사이의 송전선을 자동으로 점검하기 위한 '드론을 이용한 송전선로 자동 감시운영기술'을 개발하고 시험비행에 성공했다는 소식을 전했다.

기존 송전선로 점검은 주로 작업자가 지상에서 육안이나 고배율 망원경으로 했는데, 투입인력 및 시간에 비해 효율성이 매우 낮았다.

그러나 전력연구원에서 국내 최초로 개발한 송전선로용 드론 운영기술은 지상에 설치된 1대의 제어시스템에서 비행 중인 여러 대의 드론을 동시에 제어할 수 있으며, 자체 개발한 GPS 좌표측정기와 지상제어시스템(Ground Control System)을 이용해 선로 점검을 위한 비행경로를 생성하면 여러 대의 드론이 생성된 경로를 따라 자동 비행하면서 송전선로를 보다 효율적이고 안전하게 점검할 수 있다.

이전까지는 드론의 배터리 한계로 인해 1회 비행에 선로 1구간만 점검이 가능했으나, 드론 여러 대를 동시에 제어하면서 송전선로 점검 시간을 단축해 상용드론의 배터리 한계도 보완되었다. 이는 현재 충남 및 경남 지역 철탑 30기에 자율비행 드론을 활용한 송전선로 점검 시범적용이 진행 중인 것으로 알려졌다.

한편, 한국전력은 최근 전라남도, 드론산업진흥협회와 손잡고 전력ICT와 드론을 융합한 신산업을 육성 중이라고 밝히며 전력ICT 기반 드론기술 개발과 신산업 추진, 에너지밸리를 연계한 생태계 조성에 힘을 쏟고 있다.

전라남도는 드론을 지역전략산업으로 육성하기 위한 테스트베드 구축과 실증사업을 추진하기로 했으며, 한국드론산업진흥협회는 드론 관련 공동사업과 표준화, 전남도 내 투자 유치에 협력할 예정이다.

한전은 아울러 시범 운영 중인 한전의 사회안전망 서비스에 드론을 결합한 기술을 개발하고, 전국 890만기 전주의 방대한 설비 좌표를 활용해 드론 비행항로를 제공하는 드론 길을 구축한다는 계획도 덧붙였다. 전기차충전소와 연계한 드론 무선충전 및 드론 스테이션 구축 등 미래형 특화기술도 단계적으로 확보할 예정이다.[77]

---

77) 전력산업에도 드론 떴다/건설경제

9) 병해충 방제용 드론 등록 기준 개발

최근 병해충 방제용 드론의 사용이 크게 늘면서 이에 따른 별도의 시험 기준이 적용되어야 한다는 목소리가 높아졌다. 따라서 그동안 무인항공방제용 농약등록시험 기준이 적용되었던 병해충 방제용 드론에 별도의 시험기준이 마련된다는 소식이다.

그동안 병해충 방제용 드론에 적용되어 왔던 무인항공방제용 농약등록시험 기준은 무인헬기를 대상으로 했기에, 규격과 성능이 다양한 드론에 그대로 적용하기에는 어려움이 있었다. 이에 농진청은 드론을 이용한 농약 등록에 필요한 시험 기준과 방법을 개발했으며 이 기준은 2020년부터 적용되고 있다.

등록 기준은 농약 살포 높이, 폭, 속도, 저비산 노즐 채용 등이며 특히 드론 수요가 많은 밭 작물에 사용하기 쉽도록 되어있다. 또한 이 시험 기준과 방법은 무인헬기보다 작은 드론의 특성을 감안해 비행고도를 2~3m, 비행속도를 8~11km/h로 설정했다. 논보다 협소한 밭에서 쓰기 쉽도록 시험구 면적을 무인헬기의 525㎡보다 적은 192㎡로 설정했다. 이에 대하여 업계 관계자는 이번에 새롭게 개정된 기준을 활용하면 드론을 활용한 무인항공방제용 농약 개발이 더욱 활기를 띨 것이라며 이에 따라 재배 농가들의 노동력 또한 줄어드는 효과를 볼 수 있을 것이라고 언급했다.[78]

---

78) [한국농업신문] 병해충 방제 '드론 활용' 기반 마련/한국농업신문

10) 국내 드론 사업 발전 기본 계획

정부에서는 2026년까지 현재 704억 원의 시장 규모를 4조 4,000억 원으로 키우고, 기술 경쟁력 세계 5위권 진입, 사업용 드론 5.3만대 상용화를 목표로 다음과 같은 계획을 세웠다.

• 공공 수요 기반으로 운영 시장 육성 : 국가·공공기관의 다양한 업무에 드론 도입·운영 등 공공 수요 창출(건설, 대형 시설물 안전 관리, 국토 조사, 하천 측량·조사, 도로·철도, 전력·에너지, 산간·도시지 배송, 해양 시설 관리, 실종자 수색, 재난 대응, 산불 감시 등 5년간 3,700여 대, 3,500억 원 규모

•한국형 K-드론 시스템 구축 : 5세대 이동통신(5G)·인공지능(AI) 등 첨단 기술 기반 한국형 무인교통관리시스템(UTM, UAS Traffic Management)을 활용한 K-드론 시스템 개발·구축(사용자에게 주변 드론의 위치·고도·경로 등의 비행 정보와 기상·공역 혼잡도·장애물 등의 안전 정보 제공)

•규제 혁신과 샌드박스 시범 사업으로 실용화 촉진 : 다양한 유형의 드론 운영 활성화를 위해 드론 분류 기준을 정비(~2020)하고, 각 유형에 따라 네거티브 방식으로 규제를 최소화함. 무게(12kg, 25kg)와 용도(사업용/비사업용)에 따라 기체 신고, 자격, 인증 등 차등 적용, 위험도 기준 안전 규제를 적용(저위험군, 중위험군, 고위험군 등)

•개발-인증-자격 등 인프라 확충 및 기업 지원 허브 모델 확산 '개발-인증-운영' 등 산업 전 생애 주기에 필요한 비행 시험장, 안전성 인증 센터, 자격 실기 시험장 등 3대 핵심 기반을 구축하고 타산업과 드론 간 융합할 수 있는 산업 생태계의 조성과 경쟁력 있는 강소 기업을 육성하며 산업 간 융합뿐 아니라 공용 시험 장비 지원, 시제품 제작, 특허·인증, 수출 지원 등 새싹 기업(스타트업)의 빠른 사업화를 지원

V. 드론산업 정책 동향

V.드론산업 정책 동향

1. 해외

무인기는 4차 산업혁명의 데이터 생산과 작업수행 영역의 중요 스마트 디바이스다. 이에 각 국가는 무인기 관련 산업 정책을 활발히 펼치고 있다. 즉 무인기 특별 운항 허가제 도입 등을 통한 규제개선, 비즈니스 모델 발굴을 위한 실증사업 추진과 공공수요 창출로 세계시장 선점을 추구하고 있는 것이다.

미국, 유럽, 캐나다 등 독자적 기체형식 기종의 생산주체들은 항공산업 분야에서 이미 Industry 4.0의 주요 기술개념들을 적용하고 있는데, 항공산업에 적용되는 IoT, 스마트센서, 산업용 로봇, 빅데이터, AR/VR 등의 주요 기술들은 항공산업에서의 성공사례가 되어 타 산업으로 파급 중이다. 각국의 무인기 관련 규제 샌드박스 도입을 통해 자국 내 무인기 개발과 활용서비스 산업 육성을 추진하고 있다. 미국은 규제 밖 항목들에 대한 기술혁신을 위해 "Pathfinder"프로그램을 시행하고 있으며, 관련 제도 개선 검증을 위해 전용 시험공역 6곳을 확보해 민간 무인기 산업 선도를 꾀하고 있다.

미국은 군용 무인항공기를 중심으로 현재 무인항공기 기술 및 활용 면에서 선두를 달리고 있으나, 민간용 무인항공기 시장은 관련 규정이 아직 명확하게 제정되지 않아 활성화되지 않은 것으로 보인다. 현재 미국 연방항공청(FAA)에서는 공공용으로만 무인항공기의 운항 허가를 부여하고 있으며 상업적인 부문에서는 연구개발, 훈련 등에 한하여 유효기간, 공역제한, 가시비행 등의 제한을 두어 예외적으로 허용하고 있다.

취미목적의 쿼드콥터 비행 및 공중촬영은 가능한 반면 상업용 무인항공기 운항을 금지해 왔으나 'FAA Modernization & Reform Act of 2012'에 따라 2015년 9월 이후 상업용 무인항공기도 허용하기로 하였다. 이와 관련하여 2015년 2월에 상업용 무인항공기 운용기준을 발표하였다. 나아가 미국은 아직까지 민간용 무인항공기의 인증관련 지침(Guidance)만 있을 뿐 법 규정으로 제시하지 않고 있는데, 민간 무인항공기 운용은 개별 신청에 대해 심의하여 특별 감항증명을 하고 비행허가를 해주는 방식을 취하고 있다.

구분	내용	비고
비행기무게	55파운드(25kg) 이내	
비행고도	500피트(252.4m) 미만	
비행속도	시속 100마일(161km/h) 미만	
운용시간	낮시간 한정	
운용범위	가시거리 내	
장거리 원격비행	불허	
조종사 자격	17세 이상, 필기시험 통과	실기시험 없음 [79]

[표 16] 미국 무인항공기 운영기준

현재 유럽은 각 국가별로 무인항공기 인증체계 및 개발 수준이 상이하나 2013년에 유럽민간 무인항공기 통합 로드맵을 발표한 바 있다. 영국의 경우 별도의 무인항공기 관련 인증기준은 없으며 비행허가 신청 시 사례별로 유인항공기 수준의 감항증명을 요구·검토한 후 비행허가를 승인해 주고 있다. 무인항공기 운영을 위한 가이드라인 CAP722: 'Unmanned Aerial Vehicle Operation In UK'를 시행 중이나 세부 운영기준 및 기술기준 관련 구체적인 내용은 없는 상태이다. 또한 EUROCAE Group 7320)의 논의에 따라 이륙중량을 기준으로 분류하고 있으며, 20kg 이하의 소형 무인항공기는 별도의 등록 없이 비행이 가능하다.

　　호주는 무인항공기 관련 규정을 가장 먼저 제도화한 나라이다. 무인항공기 이륙중량 150kg을 기준으로 소형 및 대형으로 나누고 비행영역 및 인증사항을 구분하여 시행하고 있다. 그러나 관련 기술기준에 무인항공기에서 중요한 비행체와 통제소 사이의 통신 및 제어의 신뢰성 그리고 자동회피(DSA : Detect, See and Avoid)기능에 대한 언급이 없는 것으로 보아 아직까지 전반적으로 법제도가 미흡하다고 볼 수 있다.

　　일본의 항공법은 유인항공기만을 대상으로 제정했기 때문에 무인항공기에 대한 상세한 정의나 법규는 없는 실정이다. 그러나 소형 드론이 무단으로 내각관저 상공에 침입하는 사건이 발생(2015년 4월 23일)한 직후부터 일본의회가 민간 드론과 관련된 법규 제정에 나서고 있다. 더 나아가 도심 택배 시스템을 위해 치바현을 도심 택배 시스템 전용 국가 전략 특구로 지정했으며, 후쿠시마현에 '로봇테스트 필드'라는 이름의 무인이동체 전용 시험 인프라를 구축 중이다.

---

79) 출처 : 무인항공기 시장·기술·법제도 실태분석 및 정책적 대응방안 연구, 2015, 박철순

(1) 국가별 드론 규제 수준 비교

구 분	한 국	미 국	중 국	일 본
기체 신고·등록	사업용 또는 자중 12kg 초과	사업용 또는 250g 초과	7kg 초과	200g 초과
조종자격	12kg 초과 사업용 기체 * 만 14세 이상	사업용 기체 * 만 16세 이상	자중 7kg 초과	200g 초과
비행고도 제한	150m 이하 * 지면, 수면 또는 구조물 기준	120m 이하 * 지면, 수면 또는 구조물 기준	120m 이하 * 조종사·관측원 기준	150m 이하 * 지면 또는 수면기준
비행구역 제한	서울 일부(9.3km), 공항(반경 9.3km), 원진(반경 19km), 휴전선 일대	워싱턴 주변(24km), 공항(반경 9.3km), *워싱턴 공항(28km) 원전(반경 5.6km), 경기장(반경 5.6km)	베이징 일대, 공항주변, 원전주변 등	도쿄 전역, (인구 4천명/km^2 이상 거주지역), 공항(반경 9km), 원전주변 등
비행속도 제한	제한 없음	161km/h 이하	100km/h 이하	제한 없음
가시권 밖, 야간 비행	원칙 불허 예외 허용 * 시험비행, 시범사업 공역 내 비행 허용	원칙 불허 예외 허용 * Waivable 규정을 통해 건별로 허가	원칙 불허 예외 허용 * 클라우드시스템 접속 또는 별도 보고 필요	원칙 불허 예외 허용
군중 위 비행	원칙 불허 예외 허용 * 위험한 방식의 비행금지	원칙 불허 예외 허용	원칙 불허 예외 허용 * 클라우드시스템 접속 및 실시간 보고 필요	원칙 불허 예외 허용 * 사람, 차량, 건물 등과 30m 이상 거리 유지
드론 활용 사업범위	제한 없음 * 국민의 안전·안보에 위해를 주는 사업 제외	제한 없음	제한 없음	제한 없음

2. 국내

(1) 2019 드론분야 선제적 규제혁파 로드맵[80]

국토교통부는 2019년 10월 17일, 정부 서울청사에서 <드론분야 선제적 규제혁파 로드맵>이 논의 끝에 확정되었다는 소식을 전했다. 로드맵의 전체적인 개요를 정리하면 다음과 같다.

◈ **드론 기술발전 양상을 예측하여 단계별 시나리오 도출**

　ㅇ ▲**비행기술**(조종 비행→자율 비행) ▲**수송능력**(화물 탑재→사람 탑승) ▲**비행영역**(인구희박 →밀집지역) 등 **3가지 기술 변수**를 종합하여 **5단계 시나리오 도출**

◈ **발전단계별 규제이슈 총 35건 발굴·정비** (활용과 안전의 균형 도모)

　❶ **(국민안전 : 19건)** ▲'하늘길 신호등'(드론교통관제시스템, UTM) 도입
　　　　　　　　　　　　 ▲드론공원 확대 및 드론비행정보 시스템 구축
　　　　　　　　　　　　 ▲드론 성능 분류에 따른 조종자 자격기준·機體 등록기준 개선 등

　❷ **(활용 : 16건)** ▲드론 비행특례 규제완화 및 드론항공촬영 절차 완화
　　　　　　　　　　 ▲시설 점검·측량 드론 위한 영상정보 수집·활용 허용 등
　　　　　　　　　　 ▲드론택시 대비 사람탑승 안전기준 마련

◈ **향후 수소·전기차, 에너지신산업 등 타 분야로 확산 적용**
　 (2020년 발표)

"정부의 신산업 분야 두 번째 과제, 드론 산업으로 선정한 이유"

정부는 신산업 분야의 새로운 접근법으로 선제적 규제혁파 로드맵을 제시하고, 2018년 11월 자율주행차 분야에 이를 시범적으로 구축한 바 있다. 이와 같이 두 번째 사업으로 드론 분야를 과제로 선정하여 추진하게 된 이유는, 드론이 성장동력[81] 중에서도 성장 잠재력이 높은 대표 분야로 국민체감도 제고 및 신산업 확산을 위한 과감한 규제 혁신이 필요한 분야이기 때문이다.

또한 향후 신기술(지능화, 전동화, 초연결) 접목에 따라 드론이 다양한 활용 분야로 확산되어 새로운 규제 이슈가 대두될 것으로 전망되고 있다. 이번 로드맵에는 드론 분야의 종합적이고, 체계적인 로드맵으로 가장 완화된 수준의 규제 개선과 드론의 3대 기술 변수[82]에 따른 발전 양상을 종합하여 단계별 시나리오를 도출한 결과를 담았다.

---

80) 드론 규제, 미리 내다보고 선제적으로 개선합니다/국토교통부
http://www.molit.go.kr/USR/NEWS/m_71/dtl.jsp?lcmspage=1&id=95082924
81) 정부가 미래 핵심 성장동력으로 선정한 사업은 ①스마트시티 ②VR·AR ③신재생에너지 ④자율주행차 ⑤빅데이터 ⑥맞춤형헬스케어 ⑦지능형로봇 ⑧드론 ⑨차세대통신 ⑩첨단소재 ⑪지능형반도체 ⑫혁신 신약 ⑬AI 가 있다.
82) 비행방식, 수송능력, 비행영역의 3대 기술변수와 독일의 국제 드론연구기관(Drone Industry Insight)이 발표한 '드론 비행기술 5단계'를 결합

○ (비행방식) 사람이 직접 조종 → 자율 비행 방식으로 발전

단계	1단계	2단계	3단계	4단계	5단계
발전 양상	조종 비행		➡	자율 비행	
	원격 조종	부분 임무위임	임무위임	원격감독	완전자율
(개념)	사람이 직접 조종	고난도 임무만 사람이 직접 조종	사람 임무 부여 → 드론 자율비행	드론 자율비행, (필요시) 사람 개입	사람 개입 불요

○ (수송능력) 화물 적재 → 사람 탑승·운송으로 수송능력 발전

단계	1단계	2단계	3단계	4단계	5단계
발전 양상	화물 적재		➡	사람 탑승	
(개념)	화물 10kg 이하 5km 미만	화물 50kg 이하 5~50km	2인승(200kg) 5~50km	4인승(400kg) 50~500km	10인승(1톤 이상) 500km 이상

○ (비행영역) 인구 희박지역 → 밀집지역(가시권 → 비가시권)으로 확대

단계	1단계	2단계	3단계	4단계	5단계
발전 양상	인구 희박지역	➡	인구 밀집지역		
(개념)	비가시권 비도심 지역	가시권 도심지역	비가시권 도심지역 관제국 이용		전파 비가시권 도심 전파음영 지역

 또한 도출된 드론의 단계별 시나리오를 국내 드론 산업현황 및 기술적용 시기에 맞춰 3단계로 재분류하고 인프라 및 활용 영역으로 세분화하여, 안전과 사업화 균형을 고려한 총 35건의 규제이슈를 발굴하였다.

발전단계	1단계	2단계	3단계 이후
연 도	현재 ~ 2020	2021 ~ 2024	2025 ~
비행방식	원격 조종	부분 임무위임	자율비행(임무위임-원격감독)
수송능력	화물 10kg 이하	화물 50kg 이하	2인승(200kg) ~ 10인승(1톤)
비행영역	인구희박지역 비가시권	인구밀집지역 가시권	인구밀집지역 비가시권

인프라 영역 중 주요 규제이슈는 다음과 같다.

① (드론교통관리체계 개발·구축) 항공기 항로와 다른 드론전용공역 (Drone Space)을 단계적으로 구축하여 저고도·고고도 등에서 드론택시, 택배드론 등 다양한 임무수행이 가능하도록 자동비행 경로 설정, 충돌회피, 교통량 조절 등 자유로운 드론비행 환경을 조성하여 드론의 활용수준을 도약한다.

② (안티드론 도입) 최근 발생한 사우디의 석유시설 드론 테러 등과 같이 불법드론 운용을 방어하기 위해 전파법 등에서 금지하고 있는 전파차단(재밍) 장비 도입·운영을 합법화하여 불법드론의 침입으로부터 공항·원전 등 국가중요시설을 보호하고 국민의 생명과 안전을 지키도록 한다. 아울러, 국토부를 비롯한 관련부처에서는 불법드론 탐지 레이더·퇴치 장비 개발하여 상업용으로 확대적용하고 불법드론 탐지·퇴치 R&D도 적극 추진할 예정이다.
  * 카이스트 수행('15~'18), 김포공항('19.10~) 및 인천공항('20.6~) 시범운용 예정
  ** '19년 「국토부 규제 샌드박스 사업」의 일환으로 전파차단·교란(재밍)을 통한 드론 제압 장비 개발·실증 추진(육군·경찰·한수원 공급 예정)
  *** 레이저 요격장비는 국방부·방사청 R&D 진행 중이며 '24년 실전배치 예정

③ (국가중요시설 등 비행허가 기준 마련) 국가 주요시설 및 항공기가 운항하는 관제권 인근에서의 안전하고 적법한 드론 비행을 위하여 드론위치 추적기 부착 및 이착륙 비행허가 기준 등을 마련하여 드론 불법 비행으로 인한 대형사고 방지 등 안전한 드론 운용이 되도록 추진한다.

④ (드론비행정보 시스템 구축) 드론운용자가 기체등록 및 비행승인(주·야간, 항공촬영 등) 등을 한곳에서 신청하여 허가를 받을 수 있는 시스템을 구축하여 국민의 편리함을 도모한다.

⑤ (드론공원 조성 확대) 수도권 지역 등 전국의 비행금지 공역을 위주로 드론 공원 조성[83]을 확대하여 일반인이 장소에 구애 받지 않고 편리하게 드론 비행에 접할 수 있도록 하며, 의도치 않게 불법행위가 발생하지 않도록 사전에 예방하도록 한다.

활용 영역 중 주요 규제이슈는 다음과 같다.

① (비행특례[84]를 공공서비스로 확대) 드론활용이 가능한 수색구조, 산림조사, 인공강우, 통신용, 해양생태 모니터링 등 공공서비스 분야로 비행특례를 확대하여 공공수요 창출 및 관련 산업 활성화를 도모한다.

② (영상·위치정보 규제 완화) 모니터링 등에 활용되는 드론의 임무 수행으로 의도치 않게 촬영되는 불특정 다수의 영상 및 위치 정보 등의 정보수집에 대한 규제를 합리적으로 개선하고 동시에 드론을 활용한 다양한 모니터링 사업의 영역을 확대해나갈 것이다.

---

83) 현재 4곳 : 서울 광나루, 신정교, 왕숙천, 대전 대덕
84) 공공기관 긴급 목적 업무 수행의 경우 물건 투하 등의 조종자 준수사항과 비가시권 비행·야간비행 승인 등에 대한 적용을 받지 않음

③ (드론택배 활용 촉진) 드론으로 배달하는 시대를 맞이하기 위해 우선적으로 도서지역 배송을 위한 기준을 마련('20)하고, 주택 및 빌딩 등의 밀집지역에 안전하고 편리하게 물품배송 등이 가능하도록 특성에 맞는 배송·설비기준을 도입('23) 및 실용화('25)한다.

④ (드론택시·레저드론 신산업 창출) 드론의 사람 탑승을 허용하는 안전성 기술기준 및 드론을 이용한 승객 운송을 허가하는 사업법 등을 마련하여 영리목적의 드론 운송 신산업 개시가 가능하도록 준비한다.

이에 따라 정부는 이번에 마련한 드론분야 로드맵을 통해 향후 2028년까지 약 21조원의 경제적 파급효과와 17만명의 일자리 창출효과를 전망하고 있으며, 민·관이 함께하는 범부처 '드론산업협의체'를 구성·운영하여, 연구 및 기술발전 진행사항 등을 파악하고 2022년 로드맵 재설계(Rolling Plan)를 통해 보완 점검할 계획이다.

아울러, 수소·전기차, 에너지 신산업, 가상증강현실(VR·AR) 등 신산업 분야에 지속적으로 선제적 규제혁파 로드맵을 구축하여 성장동력에 박차를 가할 것이라고 덧붙였다.

(2) 드론 활용의 촉진 및 기반조성에 관한 법률

국토교통부는 드론산업 육성에 관한 특별법인 「드론활용 촉진 및 기반조성에 관한 법률」(이하 '드론법')이 제정법으로 2019년 4월 5일자로, 국회 본회의에서 통과되었다고 밝혔다.

그동안 기존의 드론은 항공, 우주, 과학기술 등 산재된 법령에 따라서 지원·관리되는 등 드론과 관련한 특별법이 미비하였다. 이로 인해 생애주기별 지원규정의 연계성 부족, 일괄적인 규제특례 근거 부족 및 부처별 단편적 정책 추진에 대한 문제점 등이 제기되었던 실정이다.

따라서 이번 제정안의 주요내용은 다음과 같다.

① '드론'의 정의 명문화
통상 무인기를 드론으로 간주하고 있어 이 법을 통해 드론을 법적 정의로 '사람이 탑승하지 아니한 채 항행할 수 있는 비행체'로 규정하였다. 또한, 항공에 관한 기본법령인 「항공안전법」에서 규정하는 무인항공기 및 무인비행장치를 드론으로 준용하고, 기술개발 추이나 시장변화 등에 따라 새롭게 나타나는 비행체도 탄력적으로 드론으로 규정할 수 있는 근거도 마련하였다.

② 드론산업 육성 추진체계 정비
정부는 체계적 산업육성을 위해 5년마다 기본계획을 수립하고, 매년 산업계 실태조사를 실시하며, 추진기구로 드론산업협의체[85] 운용을 법제화하였다. 이에 법 시행(1년 후) 시 새로운 계획을 수립·발표하기보다 지난 '17.12월에 발표한 관계부처 합동 「드론산업발전기본계획」도 이 법에 따른 기본계획으로 보아 정부 정책의 일관성도 확보할 수 있게 되었다.

---

85) 정부, 공공기관 등 수요기관, 드론산업에 종사하는 사업자 등 공급업체 등으로 구성

주요 수요처인 공공분야에서 드론을 선도적으로 도입·활용할 수 있는 근거도 마련하여 수요
창출에도 이바지할 수 있게 된다.

③ 드론산업 육성·지원 근거 마련

연구개발(R&D) 성과의 사업화 촉진을 위하여 드론관련 규제[86]를 간소화·유예·면제하는 특별
자유화 구역을 지정·운영되게 된다. 특별자유화구역은 드론활용에 연관되는 비행규제와 사업
규제에 특례를 주고 자유롭게 드론 활용사업을 영위할 수 있도록 하는 일종의 공간적인 규제
샌드박스 개념이다. 특히, 정부의 대표적인 규제 샌드박스 중 하나인 「산업융합촉진법」과 함
께 신기술 생애주기별로 운용될 수 있고, 향후 발굴되는 각종 규제는 드론법 개정을 통해서
특례대상으로 확대해나갈 방침이다. 「산업융합촉진법」에 따른 임시허가 및 운용 후 문제가 없
을 경우 「드론법」에 따라 일반적·정례적 규제특례 적용이 가능하다.

또한, 그간 임시적인 절차로 운용해온 드론 시범사업 구역[87]도 정규화할 수 있는 법적근거를
마련하게 되었다. 강원 영월, 충북 보은, 경남 고성, 전남 고흥, 대구 달성, 부산 영도, 전북
전주, 경기 화성, 전남 광양, 제주 서귀포 등 전국 10개소를 운용하고 있으며(1년 단위 갱신),
드론 기체개발 시험이나 활용모델 실증단계에 비행규제를 완화할 예정으로 기술경쟁력 강화와
신규 사업모델 발굴에 도움이 될 전망이다.

또한, 우수기술·업체에 대한 지원근거도 마련하였다. 드론 첨단기술로 지정될 경우 공공분야
의 우선 사용 요청근거가 마련되었고, 중소기업간 경쟁제품으로 지정될 수 있도록 하였다. 그
리고 우수사업자에 대해 해외진출 시 보증이 될 수 있는 국가 차원의 인증마크를 부여하고 행
정적·재정적으로 지원할 수 있도록 규정하여 다양한 사업자 지원시책도 마련할 수 있게 되었
다. 또한, 창업 활성화, 국내 새싹기업(스타트업)·벤처기업 등의 보호를 위한 지식재산권 보
호 및 해외진출 지원 등도 마련되었다.

④ 드론 교통관리시스템 구축·운영

향후 다수의 드론 운영 또는 드론교통에 대비한 드론교통관리시스템을 구축하고 운영할 수
있는 근거도 마련하였다. 현재 드론 전용 교통관리체계가 국가 연구개발(R&D)로 개발 중
('17~'21)인데, 개발과정에서 나타나는 각종 법·제도 요구사항을 즉각 반영해 연구개발(R&D)
이 완료되면 즉시 상용화할 수 있는 근거가 마련된 것이다.[88]

특히, 민간의 우수한 전문성을 활용할 수 있도록 교통관리스템의 구축·운영에 관한 전담사업
자를 지정할 수 있도록 규정하고 있어 유망사업자의 중장기 드론사업 진출도 유도할 예정이
다.[89]

---

86) 안전성인증·비행승인·특별감항증명(국토부), 전파인증(과기부) 등
87) 시범사업 구역 vs. 특별자유화구역 : (시범사업구역) 상용화 전 시험·실증단계에서 규제특례, (특별자
유화구역) 상용화 후 사업단계에서 규제특례를 규정
88) (기존) 기술개발 후 제도정비, 상용화 지연 → (드론법) 기술개발-제도정비 병행, 상용화 촉진
89) 드론 활용의 촉진 및 기반조성에 관한 법률 제정안 통과/국토교통부

(3) 드론 택배·택시 상용화 조직 신설

국토교통부는 드론 택배·택시로 대표되는 교통혁신의 이슈인 드론교통을 내실있게 추진하기 위한 전담조직으로 제2차관 직속 '미래드론교통담당관'을 신설('19.8.13 정식 출범)했다는 소식을 전했다. 이는 '정부혁신계획' 일환으로 행안부에서 신설한 벤처형 조직 제도에 따라 추진90)되는 것으로, 벤처형 조직은 행정수요 예측과 성과달성 여부가 단기적으로 명확하지 않더라도 향후 달성될 경우 국민편의가 크게 증대되는 도전적.혁신적 과제를 추진하는 조직을 말한다.

드론시장은 군수용을 시작으로 레저용·산업용으로 시장이 급속히 확대되고 있으며, 최근에는 사람이나 화물을 운송할 수 있는 교통수단(모빌리티)으로서 기술개발과 서비스 도입이 추진되고 있다. 현재는 초기 기술개발 단계이지만 드론택시·택배 등 대중이 이용하는 혁신적 교통수단으로서의 가능성을 주목받고 있다. 이에 따라 세계적으로 에어버스, 벨 등 기존 항공기 사업자뿐만 아니라 도요타·벤츠·포르쉐 등 자동차회사들도 드론교통 관련 유망 새싹기업(스타트업)에 투자하며 경쟁이 치열해지는 양상이다. 이 중 가장 공격적인 목표를 제시한 업체는 교통플랫폼 사업자인 미국의 우버로 '20년 테스트를 거쳐 '23년에 시범서비스를 제공한다는 과감한 계획을 밝힌 바 있다.

반면, 실제 드론교통 운영을 위한 드론기체의 안전성 검증, 하늘길 확보, 관제 및 인프라 구축 등 정부나 국제기구 차원의 노력은 초기단계로 아직 구체화된 기준은 없는 상황이다. 우리나라도 세계적 경쟁 속에서 드론교통의 선도자(First Mover)가 되기 위해 국토부에 미래드론교통담당관을 출범시켰다. 미래드론교통담당관은 정부차원의 드론교통관리체계 마련 및 시범서비스를 '23년에 구현하여 민간차원의 드론택시 서비스모델 조기상용화를 유도하겠다는 도전적인 목표를 밝혔다.

현재 국내는 아직 민간차원의 사업진출·기술개발이 초기단계로 우선 국가 R&D를 통해 기체개발과 인증체계 등을 마련하게 된다.
 * (기체개발) 유·무인겸용 분산추진 수직이착륙 1인승급 비행시제기 시스템 개발
　　　　　 / '19 ~ '23 / 235억 / 산업부 주도
 (인증체계) 미래형 자율비행 개인항공기 인증 및 안전운항기술 개발
　　　　　 / '19 ~ '23 / 213억 / 국토부 주도

세부적으로는 안전·교통·산업 측면을 토대로 다양한 이슈를 검토하고 법·제도와 인프라 등을 마련해나갈 예정이며, 민간의 창의적 아이디어를 통해서 국민이 체감할 수 있는 서비스 도입 방안도 검토할 계획이다.91)

---

90) 벤처조직 수요조사('19.4월)→1차 심사('19.5월)→대국민 최종심사('19.6)→미래 드론교통 과제가 포함된 10개 벤처형 조직을 선정
91) 드론 택배 택시 상용화 조직 신설/국토교통부

	중점 추진사항
안전	·드론의 안전한 비행을 담보할 수 있는 기체·부품의 기술기준, 사고시 대응 등 안전성검증 관련 기준 마련 ·정부의 일괄적 기준을 제시 또는 민간의 누적 데이터만으로 입증 중 선택 등 검증·입증방식의 패러다임 변경도 검토
교통	·드론이 다닐 수 있는 전용공역(Drone Highway)을 확보하고, 공역·운항·관제와 관련된 기준을 마련 ·드론교통 수요분석 후 드론교통 시설·설비 등 점진적 구축방안 마련 및 도로·철도·항공 등 교통 연계수단 마련
산업	·교통플랫폼, 기체제작 , 인프라·설비, 투자 · 보험 등의 관련 사업자 간 사업범위 및 역할·책임 관계 등 부여 ·합리적인 교통서비스를 위해 분쟁 시 소비자 구제방안도 마련

[표 23] 드론교통 주요 검토분야 및 중점 추진사항

VI.드론 주요업체

VI. 드론 주요 업체

미군이 주도하는 군수 목적 일변도의 드론시장이 2007년 DIY Drones(3D로보틱스의 전신)의 탄생과 함께 일대 전환기를 맞이했다. 창업자 크리스 앤더슨은 집단지성을 활용한 오픈소스 드론 개발 커뮤니티인 DIY 드론스(DIY Drones)를 개설하여 기존 소형드론의 비용이 높을 수밖에 없었던 원인이던 지적재산권 비용을 대체하게 되면서 DIY 드론스는 2007년 25만 달러의 매출을 올렸으며, 3년 만인 2010년에는 1백만 달러를 돌파하며 저렴한 가격의 드론으로 민간용 드론시장을 창출했다. 이후 회사 이름을 3D로보틱스(3D Robotics)로 개명하며 지속적으로 성장해서 2015년 2월 퀄컴 등에서 5,000만 달러의 대규모 투자를 유치하는데도 성공하였다.

3D로보틱스와 함께 초창기 민간용 드론시장을 주도한 기업은 프랑스이 "패럿(Parrot)"으로 2010년 세계 최초로 스마트폰 앱과 연계하여 조종이 가능한 드론인 Parrot AR.Drone을 선보였다. 본래 핸즈프리 기기, 스피커, 음성인식 등에 특화된 기업으로 출발했으나, 앞선 신호처리 기술역량 등을 바탕으로 드론, 로봇 등으로 사업영역을 확장한 것이었다.

오픈소스 드론의 제작이 인기를 끌면서 군수시장뿐만 아니라 소비자 시장과 서비스시장까지 크게 성장하고 세계최대 가전전시회인 CES(Consumer Electronics Show)에서 최근 잇따라 드론이 주목받았다

2016년 CES에서는 약 30여개 드론 업체가 참여해 배터리 수명, 카메라 기능, SW·플랫폼 등을 개선한 제품을 선보였으며 특히 DJI, 이항 등 후발 중국기업들의 선전이 주목되었다. 최근에는 중국의 DJI가 민간용 드론시장을 주도하고 있으며 전통적인 강호였던 미국과 프랑스의 드론제조업체는 현재 민간용 드론시장에서 빠져나와 다른 길을 모색하고 있는 상황이다. 또한 세계적인 IT기업 인텔이 드론시장에 뛰어들면서 민간용 드론 시장에 이어서 산업용 드론 시장 및 드론 플랫폼도 주목받고 있다.

본 장에서는 이러한 글로벌 드론 기업들에 대해 살펴보고, 국내에서 유망한 드론기업들의 경쟁력과 전망을 살펴보도록 할 것이다.

1. 해외

(1) 중국 - DJI (Da Jiang Innovation)

중국의 DJI는 창업 10년 만에 세계시장 점유율 70%를 달성했다. 또한 최근 2년 매출액 증가율 200%, 지난해까지 4년 만에 총매출액은 57배, 기업 가치와 종사자 인원은 각각 222배, 24배로 급증하는 등 글로벌 드론시장에서 최고의 주가를 달리고 있다.

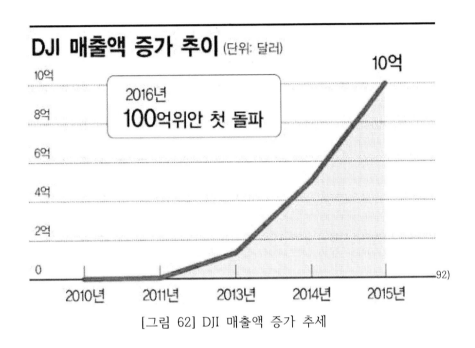

[그림 62] DJI 매출액 증가 추세

DJI의 기업가치는 100억달러(약 11조3000억원)에 이르는 것으로 추산된다. CB인사이트는 전 세계 유니콘 기업(기업가치 10억달러 이상 비상장 스타트업) 168곳 가운데 DJI를 14위에 올렸다. 10여명이었던 직원 수는 8000명을 넘었다. DJI는 창업 10년 만인 2016년 매출 100억위안(약 1조6500억원)을 처음 돌파하는 쾌거를 이뤘다. 일반적으로 신생 벤처 회사가 자금 조달을 위한 수단으로 기업공개(IPO)를 택하곤 하는 데 반해 DJI는 자본 여력이 충분해 당분간 상장 계획도 없다.

최근에는 스웨덴의 유명 카메라회사 핫셀블라드(Hasselblad)의 지분 과반을 인수하는 행보를 보이고 있다. 이는 핫셀블라드의 카메라와 DJI의 드론 기술을 결합한 하이엔드 카메라 드론을 만들기 위한 것이다. DJI는 2015년 핫셀블라드의 소수지분을 인수한 데 이어 이번에 보유 지분을 확대했다.[93]

민간용 드론(drone·무인항공기)만 제조·판매하며 승승장구하는 DJI는 여러모로 주목된다. 먼저 중국 기업이 선진 기업 추종자(follower)가 아니라 특정 업종의 선도자(first mover)로서 글로벌 표준을 확실히 만들고 있다는 점이다.

92) 아시아경제, 2017.04.12. <[中창업 메카 가다]세계 1위 드론 DJI, 평균 27세들의 '신념 비행'>
93) 연합뉴스, 2017.01.06. <드론 1위 중국 DJI, 카메라 명가 핫셀블라드 품었다.>

또한 내수 시장에서 덩치를 키운 뒤 해외로 나선 중국 기업 성장 모델과 정반대라는 측면이다. 2016년 DJI의 해외 매출액 비중은 전체의 80%에 달했다. 화웨이·텐센트·알리바바 같은 중국 글로벌 기업이 창업 10년이 지난 시점에서도 해외 매출 비중이 절반을 넘지 못했던 것과 대비된다.

DJI는 설립 초기 완제품보다는 무인 비행체와 카메라를 연결하는 기구인 '짐벌(gimbal)' 등 각종 부품 개발에 주력했다. 짐벌은 비행체의 흔들림과 무관하게 카메라의 기울기를 일정하게 유지시키는 역할을 한다. 이를 바탕으로 2008년 드론을 내놓았으나 매출은 부진했다. 영상 송수신기와 카메라 등을 따로 구해 조립해야 하는 등 전문가 영역에 머무른 탓이다. 기체 하단부에 카메라를 장착한 '팬텀 시리즈'를 내놓으며 성장 궤도에 진입했다.

DJI의 원동력은 기술력이라고 할 수 있다. 드론을 이용하여 공중촬영을 하려면 안정된 상태를 유지해야 하는데 팬텀은 정지 비행 시 오차 범위가 플러스마이너스(±) 40cm로 경쟁사 드론들의 3분의 1 미만이다. 짐벌 기술도 최고 수준이다. 이는 비행체와 카메라를 융합하는 핵심 기술에서 세계 1위 실력이라는 뜻과 동일하다.

또한 DJI의 R&D 부문에는 260여명 전문 인력이 있다. 이는 전체 8000명 종업원의 33%다. 이러한 정책은 덩치가 커져도 연구 인력 비중 3분의 1을 유지한다는 왕타오 CEO의 철학에 따른 것이다. 석·박사급 인력을 주력으로 삼는 다른 중국 기업과 달리 DJI는 학사급 연구 인력을 선호한다. 혁신 인재는 실습을 통해서 길러질 수 있는데 중국의 이공계 대학원 교육은 그렇지 못하다는 판단에서다. 2015년부터 중국 대학생 로봇 대회인 '로보 마스터즈'를 DJI가 후원하는 것도 실전에 강한 연구 인력 저변을 확대하려는 포석이다.

DJI는 칩과 센서를 빼놓고 모든 걸 자체 제작하고, 이에 관한 수백여 개의 특허를 보유하고 있다. 이런 기술 중심주의는 제품에서 드러난다. 대표 상품인 팬텀시리즈는 매년 업계를 이끄는 기술을 선보인다. 2012년 처음 출시된 팬텀은 조립 없이 상자에서 꺼내 그대로 날릴 수 있는 드론으로 카메라를 달고 5km까지 날았다. 2014년 나온 팬텀2 비전+는 HD카메라와 스마트폰 앱(응용프로그램)을 결합해 라이브 스트리밍을 가능하게 했다. 2016년 출시된 팬텀3는 센서를 통해 스테디캠(공중에서 흔들리지 않고 연속 촬영)이 가능하다. 올 3월 나온 팬텀4에는 인공지능(AI)이 적용됐다. 스스로 장애물을 피하고, 특정 사물을 정해놓으면 알아서 쫓아간다.

휴대용인 매빅은 이런 기능을 다 갖추고도 가볍고 작다. 날면서 7km까지 이미지를 송출할 수 있다. 2015년 내놓은 농업용 아그라스MG1은 농약을 10kg까지 싣고 레이더를 통해 10m 높이로 날면서 농약을 뿌린다. 드론산업은 생각 외로 기술장벽이 높다. 일례로, 스마트폰은 먹통이 되면 껐다가 켜면 되지만 드론은 추락한다. 따라서 절대 먹통이 되지 않도록 하는 게 DJI 드론 기술의 핵심으로, AI, 비전센서 등이 드론이 추락하지 않도록 막는다.[94] DJI는 팬텀 4 이후 매트리스 600(Matrice 600), 로닌-MX(Ronin-MX), A3 등을 출시했다.

---

[94] 한국경제, 2016.11.21. <'드론에 미친 37세 마니아'가 키운 DJI···세계 드론시장 70% 장악>

95)

[그림 63] DJI 팬텀4 드론

DJI는 해외 유명 기업·연구소와 글로벌 연구 네트워크 구축에도 열심이다. 2015년 스웨덴의 명품 카메라 기업인 하셀블라드의 일부 지분을 인수하고 공동 연구에 들어갔으며, 이 결과 1억 화소급 하셀블라드 카메라를 장착한 드론을 발표했다. 또한, 기체 충돌 회피 기능 보강을 위해 세계 최고 화상인식 전문 반도체 회사인 미국 모비디우스와 1년 넘게 공동 연구를 진행하고, 이를 팬텀4에 반영했다.

DJI는 미국 캔자스주립대와 함께 밭의 영양과 수분 상태를 드론으로 모니터링해 비료와 물 사용 비용을 줄이고 수확량을 늘리는 기술도 개발 중이다. 미국 실리콘밸리 R&D 거점에 이어 2015년 10월 도쿄 시나가와(品川)역 주변에 일본 R&D 센터를 열었다. 캐논·니콘·소니 등 세계적 카메라 기업의 엔지니어 스카우트가 주요 목적이다.

해외 전략도 차별화된다. 신흥 시장에서 제품력을 인정받은 후 선진국으로 나가는 기존 중국 방식과 달리, DJI는 선진국을 먼저 직접 공략하는 방식을 구사한다. 2012년 미국 LA에 첫 해외 지사를 세운 후 현재 15개 해외 지사 중 개발도상국이나 신흥 시장에 있는 지사는 전무하다.

2012년 팬텀을 출시했을 때 DJI는 무작정 미국 할리우드와 실리콘밸리로 달려갔다. 스티브 잡스, 제임스 캐머런 등 유명 인사에게 드론을 그냥 줬다. 드론을 처음 접한 이들은 푹 빠졌고, DJI의 드론은 '빅뱅이론' '사우스파크' '에이전트 오브 실드' 등 많은 영화와 드라마에 나오거나 제작에 쓰이게 됐다. 이는 DJI를 세계 드론의 선두주자로 각인시켰다.

또 다른 판매전략으로 '중국판 실리콘밸리'인 선전에서 사업을 시작했다는 것이다. 선전 화창베이(華强北)는 세계에서 가장 큰 전자부품 상가 밀집지역이다. 아이디어가 있으면 순식간에 시제품을 제작할 수 있다. DJI 외에도 화웨이, 텐센트, ZTE, 비야디(BYD), 오포 등이 이곳에서 탄생했다. 선전은 세계 드론의 메카이기도 하다. 세계 600여개 드론 회사 가운데 절반인 300여개가 모여 있다.

---

95) 출처 : DJI 홈페이지, http://www.dji.com/kr

미국 애플사를 연상시키는 제품 생태계 조성도 돋보인다. 출발점은 2015년 개발자 전용 드론인 M100을 내놓으며 공개한 소프트웨어 개발자 도구(SDK)이다. 이는 드론의 기본 기능을 갖춘 M100에 세계 각지 고객이 SDK를 활용해 원하는 기능을 추가, 맞춤형 개인 드론을 만들 수 있도록 한 것인데, SDK를 전 세계 기술 개발자들에게 공개해 자기 플랫폼에서 다양한 수요를 창출토록 한 점에서 애플과 DJI는 닮은꼴이라고 할 수 있다. 이러한 SDK를 공개함으로써, 개인이나 기업이 드론의 사용처를 영화 촬영·농업·시설 검측·토지 측정·수색 구조 등 다양한 분야로 확산시킬 수 있다. 하늘은 물론 지상에서도 DJI가 자체 생태계를 만들고 있는 것이다.

DJI의 가격 경쟁력 뒤편에는 선전의 하드웨어 산업 사슬이 만든 비용 경쟁력이 있다. 첫 팬텀 드론의 가격(679달러)은 당시 소비자들이 조립해 만드는 비용보다 300달러 정도 쌌다. 아시아의 실리콘밸리로 불리는 선전에선 디자인을 보내면 그날 늦게라도 시제품을 받아볼 수 있을 정도로 인재가 넘치고 제품 설계·제조가 신속하다. 이런 매력으로 선전에는 중국 전체 드론 업체(400여 개사)의 75%인 300여 개사가 둥지를 틀고 있다. 또한 DJI 같은 성공 사례가 속출하면서 창업이 더 활발해져 선전이 창업 메카로 성장하는 선순환 구조가 정착됐다.[96]

원래 민간 드론 시장은 중국의 DJI와 유럽의 패롯, 미국의 3D 로보틱스가 치열한 각축전을 펼쳤지만 현재는 사실상 DJI로 천하통일이 된 상태다. 팬텀4를 출시하며 DJI가 민간 시장의 70%를 장악했기 때문이다.

2017년 중국의 DJI가 새로 개발한 두 개의 신형 드론 모델에 대하여 미국 규제 당국으로부터 보안상 안전 승인을 받았다는 소식을 전했다. 미국 내무부는 드론의 기술을 평가하고 승인하는 업무를 담당하는데, DJI는 15개월간에 걸친 테스트 끝에 정부용으로 시범 제작한 두 개의 신형 드론 모델에 대해 보안상 안전 승인을 받았다고 밝혔다. 이에 대하여 미국 내무부는 중국 DJI가 고객들의 데이터 보안 요구에 부응하기 위해 소프트웨어와 하드웨어 솔루션을 구축하려는 노력을 인정했다고 언급했다.

이러한 보안 승인 획득은 미국 정부가 안보상의 이유로 중국의 정보 기술 기업들을 견제하는 상황에서 나온 것으로 예측된다. 2019년 5월경, CNN은 당시 국토안보부 산하 사이버안보 및 시설안보국(CISA) 명의의 경고문을 입수했다며, 문서에는 "(중국산 드론에는) 당신의 데이터를 수정하고 (드론 제조) 회사 말고도 다른 단체가 접근 가능한 서버에 정보를 공유할 수 있는 부품들이 들어있다"는 내용이 적혀 있다고 보도한 바 있다.[97]

그러나 SCMP에 따르면, 내무부는 2017년부터 정부용으로 활용할 DJI 신형 드론 두 개 모델에 대해 테스트를 시작했으나 이 기간 드론으로 수집된 데이터가 외부 시스템으로 전송되는 어떤 정황도 찾지 못했다고 밝혔다. 이 같은 정부의 승인은 DJI가 중국 화웨이에 이어 '정보유출 통로'가 될 수 있다는 미국 안팎의 우려가 커지고 있는 상황에서 나온 것으로 예측된다.[98]

---

96) 조선비즈, 2017.04.01. <[WEEKLY BIZ] 4년 동안 매출액 57배 껑충…세계 장악한 중국 '드론 괴물' DJI>
97) 중국 드론 제조업체 DJI "2개 신형 모델 美서 보안승인 받아"/한국경제
98) 정보 유출될 수 있다더니…중국 드론 제조사 DJI "美서 보안 승인"/조선비즈

DJI가 엔터프라이즈 비즈니스에 눈을 돌리면서 하드웨어 제조업체에서 플랫폼 사업자로 전략을 변경하고자 하는 계획을 세우고 있다. SCMP에 따르면 선전(Shenzhen)에 본사를 둔 DJI는 최신 드론인 **마빅 2와 아그라스(Agras) MG-1** 등을 내놓으며 세계 90억 달러 드론 시장의 절반 이상을 차지하는 산업 시장에 본격 진출했다.

드론 업계 분석가에 따르면 현재 중국의 소비자 드론 시장 성장세가 둔화되는 반면 드론을 활용한 기업 비즈니스는 큰 잠재력을 가질 것으로 기대된다고 밝혔다. 이는 향후 중국 드론 사업의 핵심 방향은 기업 시장이 될 것이라는 주장이다.

이에 따라 DJI는 개발 킷을 공개해 애플이 아이폰 앱을 지원하는 방식과 비슷하게 특정 작업을 위한 애플리케이션을 개발할 수 있도록 함으로써 '드론 제조사'에서 '플랫폼 사업자'로 변신할 계획을 밝혔다. DJI 관계자는 10년 전 DJI는 하드웨어를 만드는 기술 회사였지만 이제는 플랫폼 기업이므로, 물리적 플랫폼뿐 아니라 고객이 그들의 데이터 분석을 관리하도록 지원하는 소프트웨어 플랫폼까지 포함한다며, 더 나아가 써드파티 개발자가 다양한 확장 기능을 개발할 수 있는 다목적 플랫폼을 구축하는 것이 목표라고 덧붙였다.

그러나 플랫폼 업체로 전환한다면, '프라이버시'는 DJI에게 특히 까다로운 문제가 될 것이다. 중국의 기술 대기업들은 중국-미국의 갈등이 글로벌하게 번지면서 데이터 보안 문제에 직면해 있는 상황이다. 따라서 어떻게 이와 같은 문제점을 해결하고, 전략을 변경해 나갈 것인지 향후 DJI의 행보에 귀추가 주목되는 시점이다.[99]

최근 DJI는 독일에서 열리는 세계 최대 규모의 공간정보산업 전시회 '인터지오(INTERGEO)'에서 새로운 페이로드 솔루션을 공개했다. 이 솔루션은 플래그십 기업용 드론 플랫폼인 매트리스 300 RTK와 호환되며 고난이도의 항공 측량 임무를 위해 고안됐다. DJI 젠뮤즈 P1과 젠뮤즈 L1은 업계에 새로운 혁신을 불러올 페이로드 세트로, 정밀 항공 점검 및 데이터 수집 임무에서 얻은 데이터 품질과 정확도를 유지하면서 효율도 높여 항공 측량의 새로운 지평을 열 것으로 기대된다.

젠뮤즈 L1은 강력한 성능은 기본, 3축 안정화 짐벌에 70° FOV, 고정밀 IMU, 1" CMOS 센서와 기계식 셔터를 갖춘 20MP 카메라를 탑재한 초경량 Livox 라이다 모듈이다. 젠뮤즈 L1은 실시간으로 트루 컬러 포인트 클라우드 모델을 생성하거나, 1회 비행으로 광대한 지역(최대2km2)의 포인트 클라우드 데이터를 수집할 수 있다.

젠뮤즈 L1은 24만pps의 포인트 비율, 460m 감지 범위 덕분에, 정확도 높은 라이다 데이터를 쉽고 빠르게 수집할 수 있다. Livox가 독자적으로 개발한 '라인 스캔 모드(Line Scan Mode)', '비반복 페탈 스캔 모드(Non-repetitive Petal Scan Mode)'를 지원한다. 덕분에 짧은 시간 안에 관심 지역 전체에 관한 정보를 제공하며, 지정 구역을 따르는 대신 센서로 원하는 방향에서 데이터 수집이 가능하다.

---

99) 드론 플랫폼 운영자로 변신하고 있는 중국 DJI/로봇신문

[그림 64] DJI 젠뮤즈 P1+L1

DJI 플래그십 기업용 드론 플랫폼 매트리스 300 RTK, DJI Terra 측량 소프트웨어와 함께 사용하면, 사용자에게 실시간 3D 데이터를 제공하며 복잡한 구조물의 디테일도 효율적으로 수집해 높은 정확성의 재구성 모델을 제공한다. 젠뮤즈 L1은 IP44 등급이며, 라이다 모듈의 능동 스캐닝 기술로 우천시에도 활용 가능하며, 저조도의 환경에서도 비행이 가능하다.

Livox 라이다의 독보적인 비반복 스캐닝 프로세스는 어떤 방향에서든 원하는 대로 센서가 데이터를 수집할 수 있어 매핑 작업에 유용하게 쓰일 수 있다. 젠뮤즈 L1 라이다 솔루션은 식생 캐노피 및 나뭇잎을 쉽게 통과할 수 있다. 농업 및 임업 업계는 캐노피 너비, 생식 밀도, 지역, 가축 개체 수, 성장 트렌드에 관한 통찰력을 얻을 수 있다.

따라서 이를 이용하면, 현장의 구조대원이나 경찰은 트루 컬러 포인트 클라우드를 사용해 주요 정보를 얻고, 상황 파악 및 범죄 정보 수집을 실시간으로 할 수 있어 의사 결정에 큰 도움을 받을 수 있다. 젠뮤즈 L1은 자산 집약적, 고위험 지역 또는 석유 및 가스, 광산, 기반 시설, 통신시설, 전력시설물을 포함하는 위험 요소가 도사리는 환경 전반에서 사용 가능하다.

지난 수년간, DJI 기업 솔루션은 농업, 엔지니어링, 건설, 측량 산업 분야에서 많은 노력을 기울여왔다. DJI P4 RTK의 기술로 지적측량에서부터 자연 유산 지구 모델 등 다양한 분야에서 센티미터급 정확도의 지도와 모델을 위한 데이터를 수집하고 있다. DJI는 항공 사진 측량을 정확도, 성능, 고정밀 작업에서 한 단계 끌어올림으로써 그 비전의 한계를 넘어선다. 새로운 DJI 젠뮤즈 P1은 지형 공간 데이터 수집을 위해 고안된 가장 강력한 DJI 카메라 페이로드이다. 45MP 풀 프레임 저소음 고감도 센서를 탑재한 덕분에 3축 안정화 짐벌에 달린 교환 가능한 24/35/50mm 고정 초점 렌즈로 유연한 조망이 가능하다.

DJI 젠뮤즈 P1은 지상 기준점(GCP, 수평 3cm/수직 5cm) 없이도 정확도가 높으며, 1회 비행으로 3㎢ 지역을 커버할 만큼 높은 효율을 보인다.

기계식 셔터, 새로운 '타임싱크 2.0(TimeSynce 2.0)' 시스템 탑재로 마이크로초 수준에 모듈 간 시간 동기화가 가능해져, 젠뮤즈 P1으로 사용자는 실시간 위치와 방향 보정 기술이 포함된 센티미터급 정확도의 데이터를 수집할 수 있다. '스마트 경사 촬영(Smart Oblique Capture)'은 멀티 센서 경사 카메라와 같이 작동하고 매핑 지역 가장자리에서 재구성에 필요한 사진만 촬영하는 등 효율성이 극대화됐다.

　DJI 젠뮤즈 P1 사용 시 독자적인 기능으로 더 빠르게 작업할 수 있어 사진 측량 전문가에게 더 유용하다. 　2D 정사모자이크, 센티미터급 정확도의 3D 모델을 위한 경사 이미지를 필요로 하는 복잡한 임무 수행도 가능하다. 또한, 정교한 질감, 구조, 기능까지 되살린 안전거리 내에서의 수직 또는 경사면의 초고해상도 이미지 데이터 수집으로 더 상세한 재건, 지질 조사, 유산 지구 보존, 이수공학 등의 분야에서 활용할 수 있다. 또한, DJI Terra를 사용해 지리 정보를 수집하는 실시간 매핑 임무를 수행할 수 있다.[100]

---

100) DJI, '라이다 기술·풀프레임 카메라' 성능 갖춘 신제품 공개, 미디어펜, 2020.10.20

(2) 중국 - 이항(Ehang)

지난 2014년 중국 광둥성 광저우에서 젊은 중국 청년 3명, 슝이팡(雄逸放)과 후화즈(胡華智), 양전취안(楊鎭全)이 "세상에서 가장 조종하기 쉬운 드론을 만들자"는 목표를 내걸고 무인항공기 기업 '이항(億航·Ehang)지능기술유한공사'를 설립했다. 이들이 회사 설립 한 달 만에 출시한 첫 모델 '고스트(GHOST)'는 복잡한 조종기 없이 스마트폰만으로도 누구나 손쉽게 드론을 운용할 수 있다는 점에서 큰 찬사를 받았다. 이항은 고스트의 성공을 바탕으로 설립 2년 만에 1,000억원이 넘는 투자 유치에 성공했으며 현재 드론 개발·생산뿐 아니라 물류·응급구조·농업 등 서비스 분야로 사업 영역을 확대하고 있다. 이항은 현재 정확한 매출 추이를 공개하고 있진 않으나, 2014년 불과 4~5명이었던 직원 수가 1년 만에 100명에 육박한다는 사실을 통해 동사의 성장 추이를 가늠해 볼 수 있다.

2014년 출시한 첫 모델인 고스트(Ghost)는 사용자의 손쉽고 편리한 조종을 최우선으로 하는데 초점을 두어 어린이들도 쉽게 조종할 수 있을 만큼 직관적인 UI/UX를 갖추었다. 복잡한 컨트롤러 없이 스마트폰이나 태블릿으로 간편하게 조종이 가능하되, 스마트폰 조정의 문제점인 불안정한 연결을 해결하기 위해 신호증폭기 G-box를 활용하여 편리성을 개선한 것이 고스트의 특징이다.

이항은 2015년 6월 중국 최대 포털 사이트인 '바이두'의 자회사인 바이두테이크어웨이와 협력해 고스트를 이용한 피자 배달 서비스를 시작했다. 아마존이 드론을 통해 택배 서비스에 나선 것처럼 물류·응급구조·농업 등의 분야에 드론을 활용함으로써 전통산업의 혁신을 꾀하는 한편 새로운 사업 기회를 잡겠다는 목표였다.[101]

이항은 고스트에 이어 센세이셔널한 발명품을 출시하게 되는데, 이는 세계 최초의 유인드론을 개발하며 손쉬운 조종과 안전한 비행을 목표로 하는 미래 운송수단의 혁명 가능성으로 주목 받았다. 이 제품은 바로 2016년 CES에서 선보인 한 명의 사람이 탑승 가능한 유인드론 '이항184'이다. '이항184'은 최대 체중 100kg인 사람을 태우고 23분간 평균 300~500m 의 고도에서 비행 가능하여 향후 드론택시로 활용할 수 있는 가능성을 보여주었다.

한 명의 사람이 탑승 가능한 유인드론 '이항184'은 자율주행차처럼 별도의 조정 없이 내비게이션에 도착 위치만 설정하면 알아서 목적지까지 비행이 이루어지는 자동운행시스템 탑재하였는데, 현재 2~3억에 달하는 높은 가격과 사생활 침해든 법규상의 문제, 안전성 문제 등으로 드론택시의 상용화는 아직 요원하지만, 향후 활용 가능성이 기대되는 제품이다.

이항의 공동 설립자이자 마케팅 총괄책임자 데릭 슝(Derrick Xiong)은 이항184의 테스트 진행 상황을 중국 언론과 인터뷰를 통해 공개했다. 이항 184는 200회 이상의 시험 비행을 마쳤고 일부는 완전 자율 비행을 했다고 밝혔다. 테스트에 사용된 드론의 대수와 비행시간은 공개하지 않았지만 기기 개선과 비행 안정성을 개선하기 위한 충분한 데이터를 수집했다고 관계자는 설명했다.

---

101) 서울경제, 2016.04.05. <<서울포럼>드론업체 中 이항 창업자 슝이팡 방한.."세상에서 가장 조종하기 쉽게" 드론 대중화 이끈 '촹커'>

또한, 아랍에미리트(UAE) 두바이 도로교통청(RTA)도 중국 드론 회사 이항이 개발한 자율 운항식 유인드론(AAV·Autonomus Aerial Vehicle) 이항184를 시험 비행한다고 밝혔다. 두바이에 도입되는 이항184는 평균 속력이 시속 100km, 최고 비행고도는 900m로 설계되며, 두바이가 고온의 사막기후인 점을 고려해 높은 기온과 모래바람에도 안전하게 비행할 수 있는 기능이 강화될 예정이다.

102)

[그림 65] 시험비행중인 '이항184'

마타르 알타예르 RTA청장은 두바이의 자동 운항 교통 계획에 따라 이항184를 시험 비행해보기로 했다며 시험 비행이 성공하면 두바이의 차량 정체를 줄이는 매우 혁신적인 해결책이 될 것이라고 기대했다. 두바이는 2030년까지 개인 운송수단의 25%를 전기로 작동하는 무인 운전 방식으로 바꾼다는 계획을 세우기도 했기 때문에 이번 이항184의 시험으로 이항이 큰 성장을 이룰지 주목할 만 하다.103)

이항은 고스트의 성공으로 2014년 중국 크라우드펀딩 기업인 데모아워(DemoHour)와 세계적 크라우드펀딩 기업인 인디고고(Indiegogo)에서 자금을 유치하며 성장했으며, 이후 2015년 8월에는 지피캐피탈로부터 4,200만 달러의 시리즈 B 투자를 유치하는데 성공하기도 했다.104)

최근 이항은 국제 물류기업 DHL과 협력하여 '드론 배송 상용화'를 실행하고 있다는 소식을 전했다. 이는 2019년 6월 광저우 지역의 배송업무에 드론을 도입한 것으로 시작되는데, 아직 고객에게 직접적으로 물품을 전달하는 형태의 배송 단계는 아니며, 배송을 보내고자 하는 수하물을 DHL의 지능형 캐비닛에 넣으면 이 수하물을 드론을 통해 가까운 DHL 센터로 이동하는 방식으로 운행되고 있다.

DHL에 따르면 이와 같은 드론을 도입한 배송 메커니즘으로 기존에 약 40분가량 걸리던 시간을 8분으로 단축할 수 있고, 온실가스 배출도 80%나 감소시킬 수 있다고 한다. 이 배송업무를 위해 이항이 특별 제작한 드론은 약 9.5kg으로 최대 5kg의 물건까지 운반이 가능하며 현재 8km의 거리를 커버한다. 최대 속력은 약 64km/h로 알려져 있으며 GPS와 광센서를 탑재하고 있어 배송의 속도와 정확도를 보장하는 편이다.105)

---

102) 출처 : 연합뉴스, 2017.02.14. <두바이서 中개발 '나는 택시' 유인드론 7월 시험비행>
103) 연합뉴스, 2017.02.14. <두바이서 中개발 '나는 택시' 유인드론 7월 시험비행>
104) 중국 드론산업 규제완화 정책의 특징과 한국에 대한 시사점, 2016, 한국경제연구원

또한, 이항은 오스트리아 항공회사와 손을 잡고 개발한 무인 항공택시가 시범 비행에 성공했다는 소식을 전했다. 이는 오스트리아 비엔나에서 처음 시범 비행에 성공한 사례다. 이 비행에 사용된 드론의 이름은 '이항216'으로 가격은 25만7000파운드(3억8000만 원)에 달하며, 탑승 인원 2명, 최고 적재량 340kg이다. 시속은 최대 150km까지 가능해 연속으로 30분가량 주행이 가능하며, 주로 승객 운송, 산업용 설비와 단거리 긴급 의료 서비스 등을 제공할 수 있다. 또한 순수 적재량에 따라 50~70km 거리를 비행할 수 있다.

현재 해당 모델에 대한 모든 테스트를 마친 상태로, 이항은 본 모델의 대량 생산을 앞두고 있으며 이미 수천 대의 드론택시를 수주한 상태이다. 이항의 드론택시는 현재 중국 내 주문이 가장 많은 것으로 알려졌다.106)

최근, 중국의 이항이 최고 182m까지 상승해 초고층 빌딩 화재를 진압하는 소방용 드론을 출시했다. 이항의 216F드론은 가시광선 줌 카메라를 이용해 정확히 화재발생 위치를 식별하고 정확히 그 위치에서 선회하면서 레이저 조준 장치를 사용해 창문 파쇄기와 소화폭탄을 연속 발사하고, 이어 소방용 거품을 전방위로 분사하기 때문에 여러 대의 216F를 현장에 투입하면 신속히 화재를 진압할 수 있다.107)

[그림 66] 이항의 소방드론 216F

105) 30분 만에 택배가 날아온다고? 어떻게?/앱스토리
106) 중국 무인 드론택시, 오스트리아서 시범비행 '성공'/한국무역신문
107) 中 이항, 초고층화재 소방용 드론 출시…성능은?, 로봇신문, 2020.08.05

(3) 프랑스 - 패럿(Parrot)

패럿 개요	
창립	1994년
본사	프랑스 파리
최고경영자	앙드레 세두
품목	드론, 핸즈프리, 스피커
매출	3억2627만유로(2015년)
직원 수	948명

[그림 67] 패럿 2015년 매출

유럽을 대표하는 소비자 드론 기업은 프랑스의 '패럿(Parrot)'이라고 할 수 있다. 패럿은 최초로 스마트폰 앱과 연계를 통해서 조종이 가능하고, 가격도 저렴한 '에이알드론(AR.DRONE)'이라는 제품을 내놓고, 세계 각국의 공항 등지에서 판매하면서 일약 세계적인 히트상품 제조업체가 됐다. 패럿은 이후 다양한 소비자 드론 라인업을 추가하면서 글로벌 드론 시장을 장악하기 위해 노력하고 있다. 패럿의 주력 제품에는 매우 저렴하게 판매하는 미니드론 시리즈(롤링 스파이더/점핑 스모), 기존 에이알드론을 업그레이드한 에이알드론 2.0, 중급 미디어 드론 시장을 노리는 비밥(BeBop) 등이 있다. 특히 미니드론은 패럿이 민간용 드론 기업의 선두주자로 입지를 굳힐 수 있도록 한 가장 큰 역할을 한 것으로 평가받고 있다.

컴퓨터 주변 기기 제조업체였던 패럿은 2012년 스위스 드론 제작업체인 센스플라이를 인수하면서 집중적으로 드론 사업에 뛰어들었다. 센스플라이가 연구한 드론을 기반으로 패럿은 R&D 투자와 연구를 이어가게 되면서, 특히 와이파이나 블루투스로 모바일 기기에 연결해 조종하는 미니드론 개발에 초점을 맞췄다. 그 결과 패럿은 2014년 전자박람회 CES에서 55g의 가벼운 무게와 작은 크기이지만 초음파 센서와 3축 자이로스코프, 가속도계, 압력 센서를 달은 효자 제품인 '롤링 스파이더'를 선보였다. 롤링 스파이더는 직강하를 하거나 공중제비를 돌 수도 있고 바퀴를 달면 벽을 타고 올라가는 재주도 선보이는 미니드론으로, 스마트폰으로 완벽하게 제어가 가능해 조종도 쉬운 것이 장점이다.

또한 저해상도에 열악한 품질이라서 완성도 높은 사진을 찍기 어렵지만 상대적으로 저렴한 가격에 구입해 누구나 쉽게 비행시킬 수 있다는 점에서 롤링 스파이더는 당시 미국과 유럽의 크리스마스 선물로 큰 인기를 끌었다. 이와 동시에 CES에서 최고 혁신상을 받기도 했다.

---

108) 출처 : IPnomics, 2016, [컴퍼니 리뷰] 패럿(Parrot)

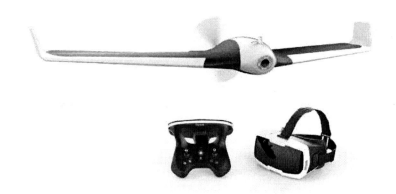

[그림 68] 패럿 비밥2

이후 패럿은 2016 CES에서 세계 최초로 전투기처럼 비행하는 드론 '패럿 디스코'를 선보여 많은 주목을 받았다. 디스코는 4개 프로펠러가 달려 있는 일반 드론과 달리 전투기 모양처럼 고정 날개를 달았고 꼬리에 프로펠러를 달고 있다. 본 모델은 유연한 플라스틱 소재로 만들어져 무게가 약 700g에 불과하며, 비행반경은 2km, 최고 80km/h 속도로 하늘을 날 수 있다. 특히 1회 충전으로 45분간 비행할 수 있어 기존 드론 제품(15~25분)에 비해 비행시간이 크게 늘어났다.

현재 패럿은 드론과 가상현실(VR) 헤드셋을 결합한 드론 시장 공략에 적극 나설 방침이다. 헤드셋을 쓰고 드론을 조종하면 실제 하늘을 날고 있는 듯한 몰입감을 느낄 수 있기 때문에, 패럿은 향후 VR과 드론 두마리 토끼를 한꺼번에 잡겠다는 전략의 일환으로 해당 방침을 세운 것으로 보인다.

경쟁에서 앞서기 위해 패럿은 영화 제작자, 농장주, 크리스마스 선물 쇼핑에 나서는 조부모 등을 타깃으로 삼아 기기를 다양화하고 있다. 실제로 GFK 조사기관 연구에 따르면 프랑스는 여가용 드론 시장의 폭발적인 성장을 보여줬다. 2014년 프랑스 내에서 약 10만개의 드론이 팔렸고 2015년 기준 전년동기대비 28만6000여 대가 팔려 3배에 가까운 판매량 증가를 기록했으며, 64%의 드론은 성탄절 기간에 판매된 것으로 집계됐는데 이는 주로 선물용으로 판매된 것으로 파악됐다.

2015년 프랑스 여가용 드론시장은 3800만유로 규모였으며 일부 전문가들은 약 38만대의 물량으로 2016년 규모가 31% 상승세를 보일 것으로 예측하고 있다. 프랑스 컨설팅 기관 올리버와이만(Oliver Wyman) 연구에 따르면 2015년 프랑스 내 산업용 드론 시장은 2900만유로 규모로 미디어 분야에서 1700만유로, 기타 분야가 1200만유로 규모인 것으로 확인됐다.110)

---

109) 출처 : 패럿, https://www.parrot.com/us/
110) EPNC, 2016.11.21. <프랑스 드론 시장, 세계 최고 항공기술 기반 '고공비행' 중>

여러 전략을 위해 덩치를 키울 것으로 예상되었던 패럿은 예상을 깨고 대규모 구조조정을 진행했다. 이는 매출부진과 개인용 드론 부문의 수익성이 계속 하락해 중장기적으로 지금과 같은 상황으로는 사업을 지속해나갈 수 없다고 판단했기 때문으로 판단된다. 따라서 이를 통해 패럿은 미니 드론 시리즈 등을 줄이고 세미프로용인 '비밥2'나 고정익 무인기인 '디스코(Disco)' 같은 수익성 높은 제품 개발에 집중할 것으로 보인다.

이러한 일환으로 프랑스 드론 제조사 패럿(Parrot)이 토이 드론 시장에서 철수한다는 소식을 전했고, 이어 아나피(Anapi)와 애플리케이션을 활용한 상업용 드론 및 앱 시장을 겨냥한다는 새로운 목표도 밝혔다. 패럿의 토이 드론 사업부의 비중은 그동안 38%정도였으며, 이 부문 매출은 2018년도 같은 기간보다 20% 줄면서 패럿의 총매출도 28% 감소했다. 그러나 기업·상업용 드론 매출은 되려 5% 늘었다고 언급했다.

패럿은 지금까지 공륙양용(롤링 스파이더), 모듈형(맘보), 항공 촬영(비밥) 등 개성 강한 드론을 출시했다. 하지만, 중국 DJI와의 경쟁에서 밀린데다 토이 드론 시장이 축소되며 2017년부터 구조조정을 진행했다. 패럿은 향후 접이식 소형 드론 아나피에 모듈을 추가한 기업·상업용 솔루션에 주력할 예정이다. 아나피는 미국 국방부 파트너로 낙점된 드론 제조사 6곳 중 하나이기도 하며, 패럿이 개발하고 있는 드론제품으로는 아나피 드론에 열 감지 카메라를 탑재한 아나피 써멀(Thermal)이 있다.[111]

2020년 2월 패롯이 스위스 군용 '미니 UAV(Swiss MUAS)' 프로그램 공급자로 선정돼 드론을 공급한다고 보도했다. 이 최종 선택의 결정적 요인으로는 패롯의 드론 전문성, 국방안보 전담 솔루션 성능, 그리고 스위스 군이 요구하는 고도의 사이버 보안 성능 등이 꼽힌다.

스위스 육군 조달을 책임진 연방 조달청 '아르마스위스(Armasuisse)'는 지난해 초 이 드론 입찰요청서를 통해 군인들이 친숙하게 미니UAV를 조작토록 훈련시켜 주는 것을 포함하는 가장 비용 효율적인 공급 사업자를 선정하겠다고 밝혔다.

이 프로젝트가 패롯그룹에 미치는 재정적 효과는 크지 않다. 그러나 패롯으로서는 이 새로운 계약을 통해 그 동안 발전시켜 온 기술혁신과 민간 드론 시장에서의 선도적 위치를 부각시키는 효과를 얻을 수 있게 된다. 패롯의 이같은 성과는 2019년 5월 미 육군과 단거리 정찰(Short Range Reconnaissance:SSR) 전용 차세대 컴팩트 드론 개발 계약을 체결한 데 이은 것이다. 이러한 진전은 패롯그룹 연구개발력의 우수성을 확인시켜 주는 한편 전문드론 분야, 특히 국방 및 안보 분야의 전략 및 입지확보의 품질 우수성을 입증시켜 준다.[112]

111) 중 저가 드론에 밀린 佛 패럿 "토이 사업 접고 기업·상업 솔루션 집중"/!T Chosun
112) 스위스 육군, 패롯의 마이크로 드론 도입 결정, 로봇신문, 2020.02.19

(4) 미국 - 인텔 (Intel)

2016년 인텔은 자사의 상표를 단 상용 드론 팔콘8+를 북미 시장에 출시했다. 인텔 팔콘 8+는 어센딩 테크놀로지의 아스텍 팔콘 8를 기반으로 한다. 인텔 신기술 그룹 총괄 책임자인 조시 월든은 블로그 포스트를 통해 팔콘 8+가 인텔의 상표를 단 첫 번째 상용 드론이라고 소개했다. 팔콘 8+는 V 모양의 옥토콥터로, 배터리, 통신, 센서를 포괄하는 전자 시스템 리던던시를 갖추고 있다. 또한 안정적인 어센텍 고성능 GPS와 새로운 컨트롤 유닛인 어센텍 트리니티 (Trinity)를 갖추고 있다. 인텔은 팔콘 8+를 산업용 점검이나 조사, 지도 제작을 위한 전문가용 제품이라고 설명했다.

[그림 69] 인텔의 드론 팔콘 8+

팔콘 8+는 아스텍 트리니티 기술이 핵심인데, 32중 자동 파일럿과 3중 내부 측정 유닛으로 전자기장이나 강한 바람 등의 외부 영향에 대응한다. 또한 인텔 콕핏(Intel Cockpit)이란 태블릿 기반의 이동 기지국을 제공하는데, 한 손으로 조작할 수 있는 조이스틱과 방수 사용자 인터페이스를 갖추고 있다. 768 x 817 x 160mm 크기에 무게는 2.8K이다.[113] 현재 북미시장에서만 유통중이다. [114]

인텔은 일반 소비자용 드론 시장에 유닉(Yuneec)의 타이푼 H(Typhoon H)를 통해 발을 담근 상태이다. 타이푼 H는 인텔의 리얼센스 컴퓨터 비전 플랫폼을 사용해 장애물을 회피하며 비행할 수 있다. 인텔은 또한 인텔 에어로 플랫폼(Aero Platform)을 공개해 개발자들이 직접 드론을 만들 수 있도록 했다.

---

113) IT World, 2016.10.13. <M인텔, 기업 시장 노린 자체 브랜드 드론 출시···새로운 칩 시장 개척>
114) 출처 : 인텔

인텔은 드론 관련 역량을 강화하기 위해 상당한 규모의 투자를 진행해 왔다. 지난 2016년 드론 기술 선진국인 독일의 스타트업 '어센딩 테크놀로지스(Ascending Technologies)'와 '마빈치(MAVinci)'를 인수하며 드론 시장에 본격 발을 디뎠다. 어센딩 테크놀로지스는 자동으로 장애물을 인지해 회피하는 자동 파일럿 프로그램과 전문가용 드론을 제작하는 업체로 인텔의 리얼센스 3D 카메라를 적용했고, 제품으로는 6대의 리얼센스 카메라를 탑재한 파이어플라이(Firefly)가 있다.[115] 마빈치는 지형 매핑과 비행 스케줄 소프트웨어 알고리즘 기술을 보유하고 있다. 이어서 저전력 고성능 SoC 플랫폼 개발업체인 모비디우스(Movidius)를 인수했는데, 모비디우스는 DJI 같은 드론 업체에 칩을 공급하고 있다.

인텔의 1,099달러짜리 에어로 레디 투 플라이 드론(Aero Ready to Fly Drone, 이하 에어로 드론)은 비행 컨트롤러가 통합된 완전 조립 제품으로, 원격 조종 송수신기도 함께 제공한다. 가격이 비싼 만큼 매력적인 기능도 적지 않다. 자동 조종 기능은 GPS를 조정하면 일정 지역을 자체적으로 비행하는 기능으로, 주변을 인식해 다른 물체와의 충돌도 피한다. 3D 리얼센스 심도 인식 카메라는 객체를 인식해 대략적인 측정 작업이 가능하다. 하드웨어는 카본 파이버 프레임에, 전자 속도 컨트롤러, 모터, 프로펠러로 구성되며, 고도계와 자기장계 등의 다양한 센서를 기본 탑재하고 있다.

또한 인텔의 에어로 드론은 인텔이 비행쇼에서 사용한 드론과 유사한데, 재프로그래밍이 가능해 컴퓨터 시야 애플리케이션을 탑재할 수 있다. 인텔 대변인은 자신만의 드론 앱을 개발하고자 하는 사용자에게 적합한 제품이라고 설명했다.

에어로 드론은 인텔의 에어로 컴퓨트 보드(Aero Compute Board)를 기반으로 하는데, 아톰 x7-Z8750 프로세서에 4GB RAM, 32GB 스토리지, 802.11ac 와이파이, USB 3.0 포트를 탑재하고 있다. 800만 화소의 전면 카메라와 VGA 하향 카메라를 장착했으며, 자동 비행 기능이나 재프로그래밍 가능한 FPGA는 ARM 기반의 마이크로컨트롤러를 사용한다. 운영체제는 임베디드 리눅스이다. 아직 판매 국가는 제한적이다.

[그림 70] 레디-투-플라이(Ready-to-Fly) 드론

---

115) IT World, 2016.01.16. <인텔, 드론 자동비행 전문업체 어센딩 인수>
116) 출처 : 세미나투데이, 2016.8.18. <인텔, 최상급 드론 개발 현황 및 신기술 '에어로 플랫폼' 공개>

인텔의 에어로 플랫폼은 개발자들이 자신만의 드론을 개발할 수 있도록 해주며, 플랫폼은 인텔 아톰(Atom) 쿼드 코어 프로세서로 구동되는 특수 제작된 UAV 개발자 키트로서 컴퓨팅, 스토리지, 통신 및 유연한 I/O를 일반 포커 카드 크기만 한 사이즈의 폼팩터에 결합했다. 또한 드론코드(Dronecode) PX4 소프트웨어를 갖춘 항공 컨트롤러, 시야 확보용 인텔 리얼센스(Intel® RealSense™) 기술, 영공 서비스를 위한 에어맵(AirMap) SDK 등 여러 가지 '플러그 앤 플레이(plug and play)' 옵션을 제공하며, 통신을 위한 LTE도 지원한다.

이처럼 인텔은 드론 시장을 적극적으로 공략하고 있으며, 300대의 드론이 펼치는 비행 쇼로 슈퍼볼 등에서 기술력을 과시했다. 특히 이들 드론의 잘 짜인 움직임과 비행 경로와 이미지를 그려내는 알고리즘이 주목을 받았다.[117]이는 평창 동계올림픽 개막식의 명장면으로 꼽히는 오륜기 드론을 통해 구현되었다. 전세계 언론에 타전되며 뜨거운 관심을 모은 이 드론 비행은 개별 드론 조종사 없이 형상화 된 연출 디자인을 입력하면 시스템의 알고리즘이 자동으로 안무를 제어하고 비행경로를 최적화하여 내장 LED를 통해 불꽃놀이 이상의 화려하고 입체적인 쇼를 선보이다.

세계 민용드론 3대 업체였던 미국의 3D로보틱스가 DJI와의 경쟁에서 뒤처지면서 이제 3D로보틱스는 민간용 드론사업에서 발을 빼고 산업용 드론으로 돌아서겠다고 선언했다. 이에 발빠르게 인텔은 상업용 드론과 드론 플랫폼을 통해 DJI와 경쟁할 예정이다.

---

117) IT World, 2017.02.17. <"포스트 PC 대비용?" 쿼드콥터 판매로 '간 보기' 나선 인텔>

2. 국내

대한항공	• 항공우주연구원과 공동으로 틸트로터형 무인기 개발(TR-60) 성공 및 상용화 추진 노력중. 다만 최근 틸트로터 무인기 사업인 '고속수직 이착륙 무인항공기 시스템 개발' 상용화 사업의 예비타당성조사에서 미시행 판정을 받으면서 상용화 사업이 언제 재개될지 불투명한 상황 • 보잉사와 MOU를 통한 무인헬기사업(500MD를 무장형 무인헬기로 개조하는 사업 추진) 추진. 주야간 정찰감시에 근거리 정밀타격 기능까지 가능하도록 제작. 개발 완료 후에는 전방 감시정찰과 즉각 대응활동 등에 활용
LG CNS	• 소프트웨어와 하드웨어를 융합한 자체 무인헬기 토탈 솔루션 개발 추진 중 • 산업용 무인헬기 토탈 솔루션 공급업체인 원신스카이텍 인수('13년)
LG 유플러스	• LTE 망을 이용한 드론 제어 기술 확보(기술시연 성공) • 세계 최초 LTE망을 통한 드론 조정 성공 • 드론을 활용하여 결혼식 생중계-LTE 통신망을 이용해 공중에서 촬영한 동영상을 스마트폰으로 실시간 확인할 수 있는 LTE 지능형 비행로봇 U+LTE 드론을 민간 분야인 야외 결혼식에 적용
KAI	• 1990년대 초반 국내 최초 드론인 군 정찰용 저고도 단거리 무인항공기 송골매 개발
유콘시스템	• 무인기 전문 업체로, 정찰용 무인기인 리모아이(Remo Eye)개발 및 국내 최초로 UAE에 지상통제장비 수출 • 농업용 방제드론 리모팜(Remo Farm)을 시작으로 민간시장 진출 추진중
바이로봇	• 완구용 비행로봇인 '드론 파이터[118]*'를 시작으로 산업용 비행로봇 개발 진행중
성우 엔지니어링	• 농업용 무인 방제헬기 상용화 성공(REMO-H)

[표 24] 국내 민간 드론사업 추진 현황

---

118) 순수 국내 기술로 개발한 쿼드콥터(회전날개가 네 개 달린 무인항공기) 모형으로 기존 무선조종 헬기에 비해 조종이 쉽고 가상현실에서만 가능한 비행 게임을 현실에서 즐길 수 있다는 게 장점

(1) 대한항공

대한항공은 4차 산업혁명 시대에 따라 항공관련 첨단기술 개발에 주력하고 있다. 특히 대한항공 항공우주 사업본부는 항공기 시스템 통합 서비스, 무인 항공기 개발, 인공위성 및 발사체 개발, 민항기 국제 공동 개발, 군용기창 정비 및 성능 개량 등에 초점을 맞추며 국내 항공산업 수준 향상을 높이는데 일조하고 있다.

항공관련 첨단 항공산업은 외부환경의 변화에 따라 그 부침이 매우 심한 산업중 하나로, 메르스 사태나, 사드 배치 문제와 같은 이슈가 일어날 경우 타격을 면하기 힘들다. 대한항공은 이러한 외부 리스크로부터 안정적인 경영환경을 조성하기 위해 항공우주사업을 키워왔다.

1976년 설립된 대한항공 항공우주사업본부는 김해공항 인근에 위치하고 있으며 대지 총 21만 평(73만㎡) 건물면적 6만 평(31만 ㎡)규모로 6,900여 종의 장비와 1,900여 종 이상의 치공구를 비롯해 항공기 정비, 개조 및 항공기 구조물 설계/제작/시험에 필요한 각종 시설 및 장비를 완비하고 있다.

대한항공은 자주국방 실현과 독자적인 국산항공기 개발 생산을 목표로 1976년 500MD헬기 생산을 시작으로 국내 최초 국산전투기 F-5제공호, UH-60중형헬기를 조립 생산하였으며 F-16 전투기, KT-1 기본훈련기를 국내 공동 생산하였다. 또 국군 및 미군 항공기 30여 종 4,400여 대의 정비 및 성능개량 실적을 보유, 극동지역 최대의 정비기지로 성장하였다.

대한항공은 민항기 정비 부문에서도 연간 60여 대의 국내외 민항기 중정비를 수행하고 있으며, 이에 그치지 않고 세계 항공기 부품시장을 개척, 보잉, 에어버스 등 유수의 항공기 제작사들에게 항공기 구조물을 독자적으로 설계 제작 공급하여 매년 수억 달러에 달하는 외화획득 및 항공기 설계기술을 축적하여 세계 시장에 진출하고 있다.

[그림 71] 대한항공 하이브리드 드론

대한항공은 부산시와 드론산업 육성 상호협력을 일환으로 하여 중소기업 협력업체들과 손을 맞잡고 '하이브리드 드론'을 함께 개발한다는 소식을 전했는데, 이를 위하여 부산 강서구 테크센터에서 MOU를 체결하고, 대한항공이 자체 개발한 하이브리드 드론을 주문자 상표 부착생산(OEM) 방식으로 제작한다는 소식도 언급했다. 대한항공은 협력업체의 기술 수준 및 품질·생산관리 체계를 진단하고 제품 상용화에 필요한 각종 기술을 지원하기로 했다.

개발한 하이브리드 드론은 군용 드론으로도 사용이 가능하며, 2시간 이상 비행이 가능한 민간용 드론은 늘어난 운영시간을 바탕으로 광범위한 지역에서 수원지 및 환경감시, 시설물 안전진단, 긴급수송, 항만관리 등의 임무를 수행하게 된다.

또한 내연기관과 배터리를 결합한 하이브리드 엔진을 장착해 2시간 이상 체공할 수 있으며, 동력원 이중화로 생존성을 향상시켰다. 주통신채널인 LTE대역과 보조채널 ISM(Industrial Scientific Medical, 2.4Ghz)대역 주파수를 사용해 가시권의 수동조종 기능뿐 아니라 비가시권의 자동항법도 가능해 다양한 영역에서 임무 수행이 가능하고 통신 두절이나 엔진정지 등 비상상황 시 미리 선정한 안전지대로 자동으로 이동 및 착륙도 가능하다.

대한항공은 하이브리드 드론 비행체 2대를 부산시에 납품했으며, 이후 하이브리드 드론의 제품 상용화 기반 구축과 병행해 설계 최적화를 통한 운영능력 및 원가 경쟁력을 향상시키고, 다양한 공정검증과 테스트로 신뢰성 강화 노력들을 이어갈 예정이다. 드론 구성품은 국가통합인증 및 국토부의 안전성 인증을 추진 중에 있다.[119]

또한, 대한항공은 정부와 지방자치단체의 드론 지원정책에 힘입어 '군수'에서 '민수'로 드론사업영역을 넓혀나간다는 계획을 밝혔다. 대한항공은 그동안 드론을 필요로 하는 지방자치단체 및 회사, 드론연구단체를 연계하는 정부의 개발사업 및 행사에 꾸준히 참여해왔다. 또한 산업통상자원부 기술개발과제를 통해 2014년부터 500MD 군용헬기의 무인화개발도 진행해왔으며, 500MD 헬기의 무인화 초도비행을 성공적으로 마쳐 다양한 분야에 활용할 수 있는 가능성을 보여주었다.

여기에 최근 대한항공이 제작해 부산시에 납품한 '하이브리드 드론'도 주목받고 있는 분야다. 하이브리드 드론은 내연기관과 배터리를 결합하여 두 가지 연료로 비행하고, 연료 효율성을 향상해 2시간 이상 날아오를 수 있을 뿐 아니라 비가시권에서 자동항법이 가능하다. 그러나 대한항공은 정부의 드론 지원정책에 힘입어, 이번 기회에 국내 드론제작업체들과 수요기관 및 회사를 연결해 사업모델을 발굴하고, 에너지 설비점검, 물품배송, 재난·치안 등의 분야를 중심으로 지원을 늘리고 참여기업을 넓히는 등의 드론사업을 더욱 확장하겠다는 취지를 밝혔다.

이중 가장 눈에 띄는 프로젝트는 고급 항공기술을 활용한 **'틸트로터 드론'**이다. 틸트로터 드론은 헬리콥터처럼 수직으로 이륙한 후에 비행기처럼 고속으로 비행할 수 있는 드론을 말하며, 정찰, 산불감시 등 민간과 군수 시장 모두에 폭넓게 활용할 수 있다. 대한항공은 현재 틸트로터 드론을 개발해 2020년 상용화를 시작했다.

---

119) 대한항공, 중소기업과 '하이브리드 드론' 협력 생산/로봇신문

이에 대하여 드론업계 관계자는 틸트로터 드론이나 무인헬기를 계열사 사업에 접목시킨다면 향후 대한항공의 드론사업 영역이 더욱 다양화될 수 있을거라고 전망했다. 또한 국내 드론시장은 현재 군사용 분야가 주를 이루지만 앞으로는 민간 드론 분야가 더욱 높은 성장률을 보일 것이기 때문에 이에 대해 적극 준비하고 있는 대한항공의 드론 기술 행보가 더욱 기대된다고 덧붙였다.[120]

---

120) 대한항공, 드론 지원정책 힙입어 군수에서 민수로 사업영역 넓혀가/비즈니스 포스트

(2) 바이로봇

바이로봇(대표 지상기)은 2015년 500%가 넘는 매출 성장률을 기록한 국내 유일 완구용 드론(무인항공기) 제조업체다. 바이로봇의 대표와 이사는 KITECH(한국 생산기술 연구원)의 모든 비행 로봇 프로젝트 연구원으로 수년 동안 활동하다가 대한민국에서 최초 가솔린 엔진을 장착한 단일 덕트 팬 비행로봇을 제조하는 팀에서 활동한 이력이 있다.

바이로봇은 비행제어 및 운영시스템 관련 국내외 지식재산권과 임베디드 시스템, 무선통신, 센서퓨전, 컴퓨터 비전과 등 로봇 관련 주요 기술을 보유하고 있다. 국내최초로 **가솔린 엔진을 탑재한 덕티드 팬(ducted-fan)타입 비행로봇의 자율비행 시스템 개발**에 성공하였고, 세계최초로 **배틀 시스템을 장착한 완구용 비행로봇을 개발**, 상용화함으로써 전 세계적으로 기술력을 인정받았다.

이러한 기술력은 R&D및 제조 분야에서 15년 이상의 경력을 가진 기존 드론의 경우 일반 사용자들이 사용하기에 매우 어려워 사실상 소수의 마니아만을 위한 시장이었다. 바이로봇은 모두가 쉽고 재미있게 즐길 수 있는 놀이 문화를 만들기 위해 **초소형 비행로봇 '드론파이터'를 개발**해 출시했다.

[그림 72] 2014년 바이로봇 매출

바이로봇의 드론파이터는 비행 제어 알고리즘을 이용해 누구나 사용할 수 있으며, 각 주요 요소를 모듈화해 조립이 쉽고 유지·보수 또한 매우 간단하다. 주요특징으로는 비행 시뮬레이터 제공, PC를 이용한 실제 비행체와 똑같은 비행연습이 있다. 또한, 40개의 LED가 장착돼 야간에도 비행이 가능하다.

---

121) 출처 : scoop , 2014.08.04. <완구용 비행로봇 "꿈을 싣고 날다">

이 제품은 프로펠러, 기체 커버 등의 부품이 나일론 등으로 제작돼 비행 중 추락하거나 인체에 부딪쳤을 때도 기체가 파손되거나 부상을 입는 등 각종 문제가 발생할 염려가 적다. 여기에 드론파이터 전용 카메라를 출시해 HD급 영상을 촬영·저장할 수 있는 헬리캠 기능을 추가했다.

[그림 73] 바이로봇의 토이드론 패트론

바이로봇은 해외에서도 그 기술력은 인정받고 있는데, 창사 후 처음 참가한 'CES 2015'에서 '한국 드론'으로 관심을 받은 데 이어 캐나다 베스트바이, 멕시코 월마트 등에도 제품을 공급한다. 프랑스 헬셀EU, 일본 반다이그룹 등 각국 대형 완구유통기업과 독점 총판계약도 체결한 바 있다.

바이로봇은 전국 학생 실내모형항공기대회 중 콥터 경연과 드론 파이터 경연대회를 후원하기도 한다. 이 대회는 드론 파이터를 이용해 주어진 임무를 수행하거나 상대방 드론을 겨냥하는 일대일 대결(배틀) 대회로 구성됐다. 우승자에게는 교육부 장관상이 수여된다. 바이로봇은 경기장 설계부터 운영까지 대회 전반을 준비하는 등 마케팅활동을 벌였다. 드론 파이터 대회 개최는 국내 드론산업 활성화와도 연결돼 바이로봇이 직접 수혜를 받을 것으로 기대된다. 주변 여건도 우호적인데, 바이로봇 본사가 위치한 경기 수원시는 시를 드론산업특구로 만들어 드론 선도도시로 나서겠다는 청사진을 제시했다. 드론 연구개발(R&D)과 제조, 판매를 한데 묶어 드론 생태계를 형성한다는 목적이다.

바이로봇은 이와 같은 성장세를 발판으로 드론산업 저변 확대에 나섰다. 제주항공우주박물관에 20대를 납품하는 등 전국 학교 20여 곳에 드론 파이터를 공급하고 민간자격증 '드론지도사' 양성에도 나서고 있다.

---

122) 출처 : 바이로봇, http://ko.byrobot.co.kr/eng/main-kor/

국내에서 드론 개발에 처음 나설 때만 해도 환경이 척박해 제조설비를 직접 만드는 등 어려움이 많았지만 바이로봇은 100% 순수 자체 기술력으로 극복했다.[123] 또한 현재 드론으로써 가장 빠르게 자리잡을 수 있는 분야가 바로 완구용 드론이라는 철학으로 제품 개발과 홍보에 힘쓰고 있다. 향후 드론 시장에 대해 5년여에 걸친 장기 계획을 세우고 제품을 개발하고 있다.

바이로봇이 'CES(Consumer Technology Show)2018'에 참가해 최신 드론 기술에 교육기능까지 탑재되어 있는 드론 모델을 소개하면서 교육용 드론 시장에도 진출한다는 소식을 전했다.

페트론 V2 프로페셔널   스카이킥 (축구드론)   라이트론 (레이싱드론)

[그림 74] 바이로봇 드론(출처:바이로봇 홈페이지)

바이로봇은 'CES 2018'에서 **페트론 V2(코딩 드론), 스카이킥(축구 드론), 라이트론(FPV 레이싱 드론)을 소개했다.** 이 드론은 최신 드론 기술에 교육기능이 탑재되어 있으며, PC나 스마트폰으로 조종 가능하여 센서 융합 기술을 바탕으로 특별한 조작 없이도 가만히 떠있는 자동 호버링 뿐 아니라, 미리 설정해 둔 경로를 따라 비행하는 것도 가능하다.

한편, 바이로봇은 2015, 2016에 이어 세 번 째로 참가하는 CES 2018에서 레이싱/축구/코딩 존(zone) 등 실제 드론을 날려 볼 수 있는 체험 행사를 여는 등 한국 드론 기술을 전세계에 알릴 수 있는 장을 마련했으며, 드론을 제어할 수 있는 통신 프로토콜과 관련 예제를 공개하여 교육 기관이나 개인 개발자들이 바이로봇 드론을 다양하게 활용할 수 있는 가이드를 제공했다.

바이로봇은 이번에 발표한 교육용 드론이 이미 한국 교육시장에서 가능성을 인정받았다며, CES참가의 목적은 한국 드론 기술력을 세계에 널리 알리고, 수출로 연결될 수 있는 발판을 만드는 것이라고 덧붙였다.[124]

---

123) 전자신문, 2015.04.26. <바이로봇 드론 파이터, `한국 드론`으로 지구촌 `플라이 하이(Fly High)`>
124) 바이로봇, 누구나 쉽게 사용할 수 있는 '교육용 드론' 소개 예정/드론뉴스

(3) 엑스 드론

현재 시장 상황만 놓고 보면 레저용 드론이나 장난감 드론 시장이 주류를 이루고 있으나 시장 규모면에서는 향후 임무용 드론이 시장을 지배하게 될 것으로 전망된다. 이러한 **임무용 드론 시장에서 뛰어난 기술력**을 가지고 사업을 영위하고 있는 기업이 바로 주식회사 엑스드론이다.

엑스드론은 공공부문의 특화된 임무용 드론을 개발, 제작하는 기업으로 전기로 구동되는 회전익 기체나 헬기형 기체에 탑재하는 페이로드를 장착해서 임무를 다목적으로 쓸 수 있는 기체를 만드는 회사다. 정부기관 및 연구기관 40여 곳과 공동개발, 납품을 진행하고 있다. 특히 비행체의 안정화 및 최적화를 위한 정부R&D 과제를 수행함으로써 세계적 기술수준의 기체를 상용화하였고, 국내 최초로 드론보안 과제를 수행함으로써 R&D 전문기업이 되었다.

정부기관/과제명	개발기간	총사업비	정부 출연금	엑스드론 사업비	핵심기술	참여기관
미래창조과학부(정보통신기술진흥센터) 안전한 드론 서비스를 위한 보안 정보유출대응..	(1차)2016.04~2017.12 (2차)2018.01~2022.12	(1차)13억 (2차)미정	(1차)10억 (2차)미정	(1차)4.5억 (2차)미정	전파재밍,GPS 스푸핑,해킹방지 기술 및 지적재산보유	한국과학기술원,성균관대학교,한밭대학교
산업통상자원부(한국산업기술평가관리원) 국민안전로봇 1세부 복합 재난 상황에 사용가능한 실내 정찰용로봇 시스템 개발	2016.06~2020.06	86억	62억	11.3억	재난환경운용 가능한 방수, 방염,방열 소재 및 형상 개발, 비전센서 및 SLAM 기술 개발,지적재산 보유	한국과학기술원,레인보우,알씨엔
국토교통부(국토교통과학기술진흥원) 무인 검사장비기반 교량 외관상태 신속진단,평가,관리 기술개발	2016.06~2019.06	98억	71.5억	22억	교량 및 시설물관리 및 실증사업, 회피 및 자율비행 기술구현	한국과학기술원,연세대학교,경북대학교,한국건설기술연구원,한국시설물안전공단

[그림 75] 엑스드론의 정부지원 R&D 과제

엑스드론의 사업영역은 공공부문 임무용 드론, 공공부문 SI사업, 환경 극복기술, 교육부문 등 4가지로 나눌 수 있다. 공공부문 임무용 드론 사업은 산림감시 및 산불진화, 적조예찰 및 방제, 국가보안시설물관리, 국가연구기관 공동개발 프로젝트, 국가기관 무인기활용 사업화 등이 있다. 공공부문 SI사업은 무인기 운용 시스템 구축, 공공데이터 수집 및 분석, 정부기관 무인기 위탁관리, 서비스 및 플랫폼 운용 관리 시스템 등이 포함된다.

환경 극복기술 사업에는 시큐리티 드론, 풍속 초당 16m, 하중 25kg, 항속거리 30km, 비행시간 2시간 같은 기술들이 포함된다. 이외에도 교육분야로 전문조종사 양성, 정부기관 무인기 조종인력 위탁, 산학 R&D 인력 양성 프로그램 등이 포함된다.

엑스드론의 대부분의 임직원들은 R&D 연구개발 인력으로, 정부과제나 R&D 과제를 수행하고 있지만 회사가 도약하기 위해서는 자금이 필요해 벤처캐피탈로부터 20억을 투자 받기도 했다. 이 자금으로 현재 서울 여의도 본사에 같이 있는 연구소를 외부로 독립시키고 연구 인력도 2배 정도 늘려 하드웨어 뿐만 아니라 소프트웨어 제어기술에 대한 기술 수준도 한 단계 끌어 올릴 수 있었다. 그 결과 2017년부터는 엑스드론이 정부 부처 및 공공기관 국책 사업에 연이어 선정되며 다양한 드론 운용 경험을 갖추게 되었다. 울산지방경찰청 환경단속 시범사업, 한국도로공사 고속도로 대형구조물 관리 시범사업 등 시범운용을 마쳤다.

시범 운용 결과 엑스드론은 세계적 수준 기체 설계 능력과 완성도를 증명했다. 성공적인 시범운용 결과에 힘입어 산업통상자원부 국민안전로봇, 미래창조과학부 보안드론, 국토교통부 무인교량관리드론 등 정부 부처 드론 시범과제를 연이어 따냈다. 대구경북과학기술원(DGIST)이 추진하는 '안티-드론' 사업, 산림청 산림보전 무인항공기 사업도 엑스드론이 진행하는 국책 과제다.

> SIZE: 22cm x 9.9cm x 2.9cm
> 기체무게(배터리포함) : 290g
> 외형재질 : 카본
> 송수신거리 : 권장 1km이내
> 영상송수신 : 권장 1km이내
> 속도 : 최대 30km/h
> 상승고도 : 권장 0.8km
> 운용반경 : 1Km 이내
> 운용시간 : 30분이내
> 이륙/착륙 : 자동항법
> 바람저항 : 3m/s 이내
> 탑재되는 장비에 따라서 성능의 차이가 있습니다.

125)

[그림 76] 엑스드론 포켓용 드론 (개인 휴대 감시정찰 장비)

공공사업이외에 엑스드론은 군사분야에도 중점을 두고 있다. 군사분야에서는 전방 GOP, 산악이나 대형 구조물 환경에서 작전 수행이 가능한 임무용 드론을 생산한다. 엑스드론의 군사분야는 교량, 댐, 대형시설물 균열 등 손상을 1mm단위로 실시간 모니터링 한다는 것이 강점이다. 산불이나 산림파괴 등 환경 훼손 여부를 감시할 수 있을 뿐만 아니라 인력 파견이 어려운 사고 발생 지역에서 실시간으로 영상을 촬영한다. 일반 레저용 드론과 달리 특수 임무용 드론은 최종 사용자가 공공 영역이기 때문에 대구 경북과학기술원(DGIST), 산림청 등 공공분야 연구개발 사업을 수행하고 있다.

실제 KAIST와 공동으로 개발한 교량 점검용 드론을 비롯해 고속도로 대형 구조물 관리용 드론 등 다양한 분야 엑스드론 기술이 활용 되고 있으며 선박사고, 적조 및 해파리 피해 감시, 방사능 및 유해가스 사고 관리, 해무나 안개 등으로 인한 선박 사고 예방 활동에도 투입된다.126)

---

125) 출처 : 엑스드론, http://www.xdrone.co.kr/ver01/html/c_05.php

향후 공공분야를 넘어 드론 비행 자격기관 등 교육 분야로 사업 영역을 확대하는 것이 엑스드론의 목표다.[127]

[그림 77] XD-i4 모델(출처: 엑스드론 홈페이지)

한국남동발전은 엑스드론의 드론 장비를 도입해 태양광 발전설비에 대한 검사 효율을 향상시켰으며, 추가 설립 예정인 태양광 발전시설에도 드론형 열화상 카메라 장비를 도입하는 방안을 검토 중이라고 밝혔다. 이번에 한국남동발전이 도입한 엑스드론 제품은 'FLIR Duo Pro R 열화상 카메라를 탑재한 XD-i4 모델'이다. 이 드론은 최근 자사 삼천포발전본부 제1회 처리장 태양광 발전시설의 항공 모니터링 작업에 활용될 예정이다.

2017년 4월에 준공된 이 발전소는 국내 최초로 석탄재 매립장의 유휴부지를 활용한 대용량 태양광 발전소로서, 발전 용량은 10MWp, 시설 규모는 축구장 약 23개를 합친 넓이인 16만 5000m2에 이른다. 한국남동발전은 이 같은 대규모 태양광 발전설비 모니터링에는 드론과 열화상 카메라의 조합이 효과적인 솔루션이 될 것이라는 판단을 했다. 이에 따라 국내 드론 제조사인 엑스드론(XDRONE)의 XD-i4 모델 드론 장비와 플리어의 Duo Pro R640 열화상 카메라 모듈을 도입한 것이다.

기존의 방식은 접속반의 전기 신호 이상 유무를 관제 모니터링을 통해 상시 확인할 수 있다는 장점이 있었지만 결함부위를 보다 정확히 포착하기 위해 열화상 카메라를 도입하게 되었다. 이에 대하여 한국남동발전 관계자는 드론형 열화상 카메라를 활용하면 태양광 발전 사이트 전체의 온도 분포를 한눈에 확인할 수 있으며, 태양광 패널 표면의 오염이나 특정 부위의 과열, 그 밖에 지반의 꺼짐이나 프레임 파손 같은 시설 공사 문제 같은 결함 내용 및 결함 발생의 정확한 위치를 신속히 파악하여 조치를 취할 수 있기 때문에 점검 방법의 효율을 높일 수 있다고 덧붙였다.

126) <임무용 드론 시장 이끄는 '엑스드론'> 전자신문(2018.01.04)
127)<엑스드론 "자본시장 첫 발 들인 토종 드론업체">전자신문(2017.04.24)

한편, 한국남동발전은 제1회 처리장 태양광 발전소 구축 사업의 성공을 기반으로 삼천포발전 본부 인근의 제2회 처리장과 제3회 처리장에 태양광 발전소를 추가로 설립할 계획이며, 구축 예정인 발전소에도 시설 점검과 설비 유지 보수를 위해 드론형 열화상 카메라 장비 도입을 검토 중이라고 밝혔다.[128]

---

128) 한국남동발전, 드론으로 태양광 발전설비 검사 효율 향상/AI TIMES

(4) 한국항공우주

구분	2019/12	2020/03	2020/06	2020/09(E)
매출액	11,062	8,277	7,211	6,177
영업이익	777	661	612	255
영업이익 (발표기준)	777	661	612	
세전계속사업이익	-714	1,013	493	189
당기순이익	-36	795	418	90

[표 25] 한국항공우주 분기별 재무정보(출처:네이버금융)

한국항공우주는 항공기 부품, 완제품 제조 및 판매를 목적으로 1999년 10월 1일에 설립된 기업이다. 사업부문은 항공기 및 기체부품 생산, 수출지원 및 구매, 품질지원, 항공기 부품 제조, 항공기 정비로 이루어져있다. 한국항공우주의 항공산업은 군용기, 민항기, 헬기 등 항공기를 개발하고 개발된 항공기를 양산하는 항공기 제조산업과 운영되는 항공기의 정비 및 개조를 담당하는 MRO산업으로 구분되어 있다.[129]

또한 2017년부터 본격 개발에 착수한 한국형전투기 체계개발사업은 18조 원이 투입되는 사상 최대 방산사업이다. 2018년 한국항공우주는 항공기 구조시험동을 준공하고 구조시험을 진행하고 있다. 항공기 구조시험이란 기체와 구성품이 비행환경에서 받는 양력, 항력 등에 얼마나 견딜 수 있는지 측정하는 과정이다. 한국항공우주산업은 여기서 만족하지 않고 한국형전투기사업 이후의 미래 먹거리를 적극적으로 발굴하고 있다.

무인기도 그 중에 하나로 꼽힌다. 한국항공우주산업의 무인기사업은 그동안 군단용 무인기에 집중돼 있었다. 한국항공우주산업은 20년 이상 쌓아 온 무인기 기술을 바탕으로 고속으로 성장하는 글로벌 무인기시장에 도전장을 냈다. 한국항공우주산업에 따르면 한국항공우주산업은 2015년 5월 기준으로 무인기 관련 특허 44건을 보유하고 있다. 이는 국내 1위이자 세계 5위다. 한국항공우주연구원이 무인기 특허 42건을 보유하고 있는데 한국항공우주산업이 앞질렀다. 당사는 그동안 군용 무인기로 축적해 온 기술을 상용시장으로 확대해 나가고 있다.

한국항공우주산업은 2015년 말부터 브라질과 손잡고 다목적 대형드론 공동개발을 추진하고 있다. 브라질이 비행체부분을, 우리나라는 항전·제어·지상통제부분을 개발하기로 했다. 한국항공우주산업진흥협회가 사업관리를 주관하고 전기전자제어시스템은 LIG넥스원이 맡는다. 한국항공우주산업은 지상통제시스템을 담당하기로 했다.

---

129) 한국항공우주 기업개요/네이버금융

이 사업은 브라질의 대형농장에서 농약을 살포할 목적으로 운용할 대형드론을 개발하기 위한 것이다. 4m 크기에 탑재중량 500kg, 총중량 1톤 규모의 쿼드로터를 2019년까지 개발하는 것이 목표다. 남미의 대형농장은 농약살포를 위해 경비행기를 주로 운용하고 있는데 노후한 비행기가 많다. 이 때문에 한국항공우주산업은 농업용 대형드론에 대한 수요가 증가할 것으로 보고 있다.

한국항공우주산업의 무인기 개발 역사는 20년 이상 거슬러 올라간다. 한국항공우주산업으로 통합되기 전 대우중공업이 1980년대 후반부터 서울대학교, 국방과학연구소와 함께 무인기 기술 개발에 착수했다. 이렇게 축적한 기반기술은 1990년대 군사무인기인 송골매 개발에 적용됐다. 한국항공우주산업은 비행통제, 무인기제어 소프트웨어, 발사와 회수 등 무인기 체계를 완성해 2000년대 초반부터 실전배치했다. 국내 최초로 자체개발 무인기를 실전배치한 사례로 세계에서 10번째였다.

하지만 군기술의 특성상 한국항공우주산업의 무인기 기술은 빛을 보지 못했다. 송골매는 배치·운영사실이 알려진 뒤에도 크게 주목받지 못하다가 2014년 북한 무인정찰기 사건이 발생한 뒤에 군당국에 의해 공개되며 재조명받았다.

한국항공우주산업은 그동안 꾸준히 기존무인기의 성능개량을 진행해 왔다. 정찰용으로 사용되는 무인기에서 가장 중요한 장비인 영상감지기를 최신장비로 교체해 무인기 성능을 끌어올렸고 지상통제장비도 국산화했다. 한국항공우주산업은 이를 바탕으로 2012년 차기군단급 무인기 체계개발사업도 수주해 진행하고 있다.

국가과제 외에도 한국항공우주산업은 2007년부터 자체적으로 조성한 연구개발 펀드를 활용해 미래 무인기 시장을 대비한 선행기술 연구도 꾸준히 해왔다. 특히 정찰목적으로 운용해 온 무인기(UAV)를 무인전투기(UCAV)로 활용폭을 늘리기 위해 기술을 쌓았다. 한국항공우주산업은 2009년 저고도·근거리용 무인기를 개발했다. 비행체 개발은 물론이고 우리나라 환경에 적합한 운용개념을 정립하고 발사·회수기술을 완성했고 다기능 다채널 지상통제장비도 개발했다.

이 밖에도 한국항공우주산업은 정밀타격용 무인공격기 데블킬러(Devil Killer) 개발, 전동무인기용 연료전지 동력장치 개발, 무인기용 표준 소프트웨어 플랫폼 개발, 유인기 무인화 기술 개발 등을 수행했다. 현재는 적의 레이더망을 피하기 위한 저피탐 무인기 기술 개발을 진행하고 있다. 한국항공우주는 저피탐 성능을 높이기 위해 꼬리날개가 없는 무미익 형태 무인기의 축소모형을 제작해 시험비행까지 완료했다. 한국항공우주산업이 개발한 무미익 저피탐 기술은 무인기뿐 아니라 유인기까지 확대 적용할 수 있을 것으로 기대된다.[130]

한국항공우주산업이 최근 정부의 드론 정책에 힘입어 신사업을 추진할 것이라는 계획을 밝혔다. 정부는 드론산업 규제를 완화하고 드론 택배등을 상용화하려는 정책을 발표한 바 있다. 그동안 한국항공우주산업은 우리나라가 드론산업에 무지했던 시기부터 군수분야의 드론을 개발해왔다. 따라서 현재는 국내 드론 제조 기술력에서 가장 앞선 기업으로 평가받고 있다.

---

130) 비즈니스포스트, 2016.07.10. <한국항공우주, 군사용 드론 토대로 세계 무인기시장에 도전>

이에 따라 한국항공우주산업은 기존 군수사업 위주의 드론 사업에서 민수사업의 비중을 늘릴 준비를 하고 있다고 밝혔다. 한국항공우주산업 관계자는 이에 대하여 드론의 설계, 제조, 지상 통제, 비행시험 등 모든 과정에 필요한 핵심 기술을 확보하며 드론산업 본격화에 대비하고 있다고 언급하면서 한국항공우주산업이 향후 민수용 드론의 국내외 시장의 확대에 초점을 맞추고 있다고 설명했다.[131]

한국항공우주연구원이 개발 중인 성층권 태양광 드론 'EAV-3'이 성층권 시험비행에 성공했다는 소식을 전했다. 이는 미국 에어로바이론먼트의 헬리오스, 에어버스의 제퍼 드론에 이어 세계 세 번째의 성공으로 알려졌다. 일명 '항우연 드론'은 2015년에 처음 고도 14km를 시작으로 다음해엔 18km 상승에 성공했다. 이후 2019년 8월에 실시한 3호기 초도비행에선 4시간만에 고도 17km까지 올라가는 쾌거를 이루어냈다. 이에 항우연 항공기체계부는 2020년에는 18km 상공까지 올라가는 '24시간 체공' 달성 목표를 세웠다고 밝혔다.

현재 항우연의 드론은 동체 길이 10m, 날개 길이 20m인데, 상용화를 위해선 더 많은 장비를 싣고 더 오래 날 수 있도록 덩치가 커져야 한다. 드론에서는 태양광으로 만든 전기를 저장하는 배터리의 성능이 매우 중요한데, 24시간 체류 성공도 이에 달려있다. 따라서 적어도 10kg 장비는 탑재할 수 있는 능력을 갖춰야 하며, 2020년에 목표로 하는 '24시간 체공'에 성공한다면 3~5년의 기간을 두고 상용화에 필요한 과제를 수립할 수 있는 것이다. 성층권 드론의 상용화는 위성을 대신할 수는 없어도 보안용으로 활용할 수 있다는 장점이 있다.

한편, 미국의 시장조사기관 엔에스아르(NSR)는 성층권 드론을 포함한 고고도 항공기 시장이 10년 안에 연간 17억달러(약 1조9천억원) 규모로 커질 것으로 내다봤다. 이에 따라 현재 진행 중인 개발 프로그램만 약 40개이며, 여객기 활동 무대 위의 성층권이 새로운 항공산업 무대로 떠오르고 있다.[132]

---

131) 한국항공우주산업 CJ대한통운, 드론 활성화정책에 신사업 한 발 진척/비즈니스 포스트
132) 비행기인듯 위성인듯…성층권 누비는 태양광 드론/한겨레

(5) 유콘시스템

 유콘시스템은 2001년 설립되어 무인항공기를 꾸준히 개발하고 있다. 2008년에 육군 정찰용 무인항공기를 개발하여 우리 군이 사용하는 두번째 국산 군사용 무인항공체계를 공급하기도 하였다. 국내 최초로 2004년 UAE공군에 무인항공기 지상통제장비를 수출한 후 해외 시장 개척에 집중하고 있다. 또한 2008년 농업용 무인 방제 헬기의 개발을 완료하였고 2016년 농업용 방제드론 그리고 이어서 2017년 공간정보용 드론을 각각 출시하면서 민수 산업용 드론 시장에 본격 진출하여 그 사업영역을 확장하고 있다.

 현재 산업용, 군용, 농업용 등 다양한 용도로 제품이 나와 있다. 유콘시스템의 군용 드론 '리모아이'는 최근 해외군과 정부로부터 성능을 인정받고 있으며 2018년 중앙아시아 국가와 수출계약을 체결할 것으로 전망된다. 리모아이는 13m/s이상 강풍에도 비행능력이 있는 대대급무인기는 투척이륙이 가능하고, 반경 15m, 높이 10m 정도의 협소한 지형에서도 자동으로 수직착륙이 가능하여 산악 등 장애물이 많은 좁은 지역에서도 운용할 수 있다. 또한 60분 이상의 비행시간과 국내 최초로 GPS항재밍 기능을 보유하고 있어서 군으로부터 GPS 신호 없이 안전귀환 실비행을 검증받은 바 있으며, 추가적으로 군사용 GPS 탑재를 진행 중이다.

 리모아이는 현재까지 총 400대가 팔렸으며 1만 5000회 정도 임무와 훈련을 거쳤다. 최근 정부 국방품질 검사기관 발표자료에 따르면 '리모아이' 안전회수율은 99%에 육박한다.

 공간정보분야 드론 리모엠(RemoM) 역시 국내에서 기술력을 인정받아 해외판로까지 개척하고 있다. 리모엠은 유콘시스템이 100%국산화한 공간정보 드론으로 자동 비행과 비상복귀 등 기체운용이 편리하고, 고해상도 정사영상 및 다중분광, 전기광학적외선 장비(EO&IR)센서를 교체·부착할 수 있어 기체 운용성을 높인 제품이다. 또 고정밀 위성항법시스템(GNSS)기반 외에 실시간이동측량(RTK), PPK등 정밀 측위기능을 옵션으로 제공, 좁은 공간에서도 안전한 이·착륙이 가능하다. 향후 리모엠의 해외판매망 구상도 마무리할 것이며 국내외 시장확대에 박차를 가하겠다는 계획이다.

 SK텔레콤은 유콘시스템이 5G 드론솔루션 개발에 협력한다는 소식을 전했다. 이를 위해 두 기업은 업무 협약을 체결했다고 발표했다. '5GX 드론 솔루션'은 드론에 5G, 인공지능(AI), 데이터 분석 등 최신 ICT 기술을 접목한 서비스로, 양사가 협력하여 개발하게 될 이번 솔루션은 공공안전, 재난 등 사회 안정망 구축과 산업 시설 보안, 실시간 측량 등의 다양한 분야에 적용될 예정이다.

 이를 위해 유콘시스템은 드론 개발을 담당하기로 했다. 그동안 쌓아왔던 유콘시스템의 드론 제작 기술을 바탕으로 '5GX 드론 솔루션'을 최대한 적용할 수 있는 최적화된 드론을 개발할 예정이다. 한편, SK텔레콤은 5G 통신, AI 기반 영상 분석과 4K 저지연 영상 전송, 'T 라이브 캐스터' 등 관련 ICT 기술을 개발하고 드론에 적용하는 역할을 수행하기로 했다. 이번 5G 드론 솔루션 개발 협력에 대하여 유콘시스템 대표는 국내 드론 생태계의 기술력 강화를 위해서는 대기업과 중소기업 간 개방과 협력이 필요하다며 이번 협력이 드론 시장 생태계에 활력을 불어넣어줄 것으로 기대한다고 언급했다.

한편, SK텔레콤 관계자는 SK텔레콤의 ICT 기술과 강소기업 유콘시스템의 드론 기술이 융합해 5G 기반의 차별적 드론 서비스를 만들 것이라며 앞으로도 국내 드론 생태계를 위해 중소기업과의 협력을 지속해나갈 것이라는 계획을 밝혔다.[133]

또한, 유콘시스템의 '리모콥터 900'은 현재 경찰이 사용중인 모델로, 2020년 6월부터 본격 운영에 들어갔다. 리모콥터 900은 가로세로 각각 72cm, 높이 50cm 무게 7.4kg으로 중형 드론으로, 비행시간은 35분이며 가장 큰 특징은 바로 임무장비인 카메라다. 리모콥터 900에는 광학 30배줌 카메라와 야간에도 활용할 수 있는 열영상카메라가 함께 탑재돼 있는데 이를 통해 주·야간 상관없이 실종자 수색 등 임무를 수행할 수 있다. 리모콥터 900은 드론 본체와 비상통신장치, 카메라, 임무용 노트북 등을 합치면 7,000만원에 달하며 울산에는 2대가 있다.

경찰 드론은 도입 이후 2020년 10월 기준 14건의 실종자 수색 업무에 투입돼 3명의 실종자를 찾는데 힘을 보탰다. 실종자 수색 업무 시 수색범위를 좁혀주고 시간을 줄여주기 때문에 항공 수색이 필요한데 울산에는 경찰헬기가 없어 타 지방청 장비를 쓰려면 절차와 시간, 1번 비행 시 100만원 이상 비용이 들지만, 드론의 경우 일선 경찰에서 즉시 활용할 수 있다는 게 큰 장점이다.[134]

---

133) SKT-유콘시스템, 5G 드론솔루션 상생개발/아이뉴스24
134) "'경찰 드론'으로 국민 생명·재산 지켜드리겠습니다", 울산매일UTV, 2020.10.20

(6) 성우엔지니어링

[그림 79] 성우엔지니어링 로고

성우 엔지니어링은 충북 청주시 옥산면에 본사를 두고 있는 무인회전익기 제조사로 1993년 설립되었다. 항공기 및 무인항공기 개발 사업에서 선행연구로 진행되는 축소시제 항공기 (Proto Type, Iron Bird)의 제작 및 시험비행(Fight Test), 그리고 정비 및 운용지원용역, 군사용, 산업용 무인항공기의 연구개발 및 제작, 농업용 무인방제 헬리콥터 무인회전익 로터블레이드 제품 생산 및 복합소재 활용 풍력블레이드 등을 전문으로 연구개발, 생산하는 업체이다.

성우 엔지니어링의 사업영역은 다음과 같다.

[그림 80] 성우엔지니어링 사업영역

성우엔지니어링은 농약헬기의 대명사 였던 야마하 농업용 헬기시장에 도전해 성공한 회사이다. 최근 군용 및 산업용까지 드론 사업영역을 넓히면서 쿼드틸트프롭무인기(Quad-Tilt-Prop UAV)까지 개발을 하고 있다.

성우엔지니어링이 방위산업전문기업 LIG넥스원과 손을 잡고 '무인기 사업분야 업무제휴 협약'을 체결했다는 소식을 전했다. 이번 업무제휴는 국방·민수 분야 미래 무인기 기술 개발 및 신사업 개척을 위한 것이다. 두 기업은 국방과학연구소의 민군협력진흥원이 주도하는 민·군겸용기술개발 과제를 통해 다목적 무인헬기를 공동 개발할 예정이며, LIG넥스원과 성우엔지니어링 측은 이번 포괄적 업무 협약을 통해 향후 국방·민수분야 신규 무인기 사업에 참여할 경우 시너지 효과를 낼 것으로 기대하고 있다.

성우엔지니어링은 1993년 설립 후 27년 동안 무인기 제작과 시험비행을 전문적으로 수행한 국내 최고 수준 무인기 전문 업체로, 대표적으로 무인방제 헬리콥터 스완(SWAN), 리모에이치 (REMO-H)를 개발했으며 미국·호주·중국 등 해외로도 활발히 수출하고 있다.

한편, LIG넥스원은 차기군단, 중고도 무인기 등 다수의 무인기 시스템을 개발한 경험이 있기 때문에 이를 통해 축적된 무인기 시스템분야 기술력을 통해 향후 진행될 육군 드론봇 전투체계 등 무인기 신사업에서 무인기 체계종합, 지상통제시스템, 데이터링크, 항전 시스템, 임무장비, 항공무장 분야를 담당할 예정이다.

이번 협약에 대해 LIG넥스원 관계자는 미래 산업을 위한 종합방산업체와 강소기업 간 모범적 협업 사례가 될 수 있도록 긴밀하게 협력할 것이라는 포부를 밝혔으며, 성우엔지니어링 사업총괄 관계자는 이번 LIG넥스원과의 업무제휴 협약을 통해 공동 기술개발 및 사업 경쟁력을 향상시키는 계기가 되길 바라며, 국내 무인기 산업 생태계에도 좋은 영향력을 미치길 바란다고 언급했다.[135][136]

135) LIG넥스원·성우엔지니어링, 드론·무인기 사업서 맞손/이코노믹 리뷰
136) LIG넥스원, 성우엔지니어링과 드론·무인기사업 제휴/조선비즈

(7) LG 유플러스

엘지유플러스는 클라우드 드론관제시스템을 상용화하고 드론사업에 본격 진출한다. 통신망을 통해 비가시권이나 야간에도 재난감시, 측량, 물류 수송 등의 드론 비행을 할 수 있는 'U+스마트드론 클라우드 드론관제시스템'을 국내 최초로 상용화하기로 한 것이다.

U+스마트드론 클라우드 드론관제시스템은 통신기능을 활용해 드론의 위치정보를 실시간으로 파악하고 항공기의 관제시스템처럼 드론 비행 운용이 가능하다. 통신망만 연결돼있으면 수백 km거리의 원격지에 있는 드론을 거리제한 없이 띄우고 조종할 수 있다. 목적지를 입력하면 드론 이륙에서 비행, 귀환까지 전 과정이 자율주행으로 이뤄진다. 피시(PC)나 태블릿, 스마트폰 어떤 단말 운영체제에서도 웹으로 접속해 자유롭게 드론 비행계획을 실현할 수 있다.

기존 드론은 비행 도중 촬영한 사진이나 영상을 저장하는 장치가 필요했지만, 이번 시스템은 드론을 통해 촬영하는 고화질 영상을 실시간으로 아이피티브이(IPTV)에서 확인할 수 있다. 그 동안 국내에서 드론 운항은 조종자나 감시자의 육안으로 볼 수 있는 범위로 비행이 한정돼 있었으나, '드론 특별 승인제'가 시행됨에 따라 별도의 안전기준을 충족하면 야간·비가시권 비행이 가능해졌다.

[그림 81] 엘지유플러스 스마트드론 클라우드 드론관제시스템

향후 엘지유플러스는 도서 산간지역의 택배서비스나 약물 등 긴급물자배송과 같은 운송·물류 영역, 재해취약지구 모니터링 등 안전점검, 해안 수심측정과 건축 등의 측량 영역에 본격 진출하고, 보안·항공촬영·환경 모니터링 등 다양한 산업 분야로 영역을 확대할 계획이다. 또한 시스템 고도화 추진을 위해 2018년까지 3D지도, 상공 전파 지도, 실시간 드론길 안내 시스템을 순차적으로 개발해 선보인다.

LG유플러스가 **5G 'U+스마트드론'을 개발 및 공개 시연했다는 소식**을 전했다. 이 드론 제품은 인공지능(AI) 음성인식과 실시간 Full HD(고화질) 영상 전송 기술을 탑재하였으며 '치안 시스템에 활용'될 예정이다.

---

137) 사진 출저: 엘지 유플러스

공개시연은 경기도 시흥 배곧신도시에서 진행되었으며 LG유플러스는 시흥시 시흥경찰서·배곧파출소 관계자들과 함께한 시연에서 최대 고도 50m, 시속 36㎞로 이동하는 U+스마트드론을 스마트폰 앱(App.)을 통한 음성명령으로 제어했다. 앱에 설정된 명령어 '비행 시작'을 외치면 U+스마트드론은 5G망의 초저지연성을 기반으로 지체 없이 상공으로 날아오른다. 시연자는 이어 호버링(제자리 비행), 임무 재개(정찰), 복귀, 착륙까지 음성으로 기체를 제어할 수 있다.

5G 스마트드론은 특히 카메라를 통한 고화질 실시간 영상 전송 기술이 돋보이는데, 이를 통해 드론이 이동 중인 특정인의 얼굴까지 상세하게 파악할 수 있어, 우범지대의 경우 드론 감시지역 안내만으로도 치안이 강화되는 효과를 볼 수 있다. 또한 5G 기반 조이스틱으로 카메라를 좌우상하로 실시간 조작하고, 줌 인·아웃 기능을 통해 지상에 있는 명함 크기의 글자까지 선명하게 볼 수 있다.

한편, LG유플러스는 이번 시연을 기체 제조사 '유시스', AI 음성 인식·합성 기술을 보유한 '셀바스AI', 시스템 구축 및 응용 소프트웨어(앱) 개발사 '유비벨록스모바일'와 함께 진행했다. 유시스의 드론 'TB-504'는 기체에 부착된 5G 스마트폰 테더링을 통해 실시간 Full HD 영상을 송신했다.[138]

---

138) LG유플러스, AI 음성인식 기반 5G 드론 선보여/보안뉴스

Ⅶ. 결론

VII.결론

현재 국산 드론 기술의 국제 경쟁력은 이 분야 기술 선진국 미국이나 독일, 그리고 신흥 강국 중국에 분야별로 3~7년 정도 뒤지고 있다고 볼 수 있다. 이러한 열세를 극복하고 국내 개발 드론이 국제 경쟁력을 가지고 미래 드론 관련 산업을 우리가 주도하려면 창의적 한국형 드론의 기술 목표와 비즈니스 모델을 잘 설정하고, 산·학·연·관·군 협력 체제를 구축하여 미래 드론 산업 생태계를 활성화 하는 일이 매우 중요하다.

정보통신 분야에서는 ICT 기술을 기반으로 한 초소형/초경량 비행제어 컴퓨터와 관련 하드웨어, 사물인터넷(IoT) 기술을 적용한 드론 운용 시스템을 구성하는 일 또한 중요하다. 정부는 드론 개발 및 운용을 위한 중장기 계획을 잘 수립하여 관련 부처 간의 역할 분담을 통하여 드론 산업 생태계를 조성하여 육성하는 역할을 주도적으로 할 필요가 있다. 항공 기술 분야는 초속 15m 풍속도 극복하며 비행할 수 있는 신개념 비행체 형상과 신소재를 활용한 창의적 드론을 설계하여 구현하는 일이 시급하다.

항공우주 기술과 ICT기술이 융합된 한국형 드론에 인공지능(artificial intelligence)운용 소프트웨어를 창의적으로 적용하여 정부 기관에서 드론을 활용하며 우수한 성능을 입증한다면 세계 최고 수준의 드론 명품이 개발될 것이고 미래 국제 드론 산업을 한국이 주도할 수 있을 것이다. 향후 자동차와 항공기 기능이 복합된 자동차 드론, 선박과 항공기 기능이 복합 된 선박 드론, 개인이 운용하는 육/해/공 겸용 일체형 자가용 드론 등의 명칭으로 신개념 드론도 개발되어 인간의 미래 삶의 패턴을 바꾸어 놓을 것으로 예측되므로 이에 대한 장기적인 대비도 중요하다.

또한, 빠르게 성장하는 드론 산업은 우리 사회를 또 다시 크게 바꾸어 놓을 가능성이 높다. 단순히 소비자 드론 하드웨어 몇 가지에 매료되기 보다는 드론이 바꿀 미래사회의 모습을 그려보고, 이와 연관될 수밖에 없는 다양한 산업생태계와 연관 산업을 같이 들여다보아야 드론에 대해서 제대로 파악할 수 있을 것이다. 예를 들어, 미국 Skycatch사가 제조한 드론은 고해상도 카메라와 GPS 및 여러 가지 센서를 부착하여 건설부지의 3차원 지도 제작, 건설 공사에 콘크리트 투입량 측정 등이 가능하여 건설업 전반에 혁신을 일으킬 수 있다고 주장하고 있다. 미국 Aeryon Labs사는 고화질카메라를 장착한 드론을 개발하여 송전선과 풍력터빈, 굴뚝 등을 모니터링 하여 에너지 산업에도 큰 변화를 예고하고 있다. 환경 및 기상관측에 활용되는 드론도 그 파급력이 막강하다. 그 밖에도 영국 브리스톨 대학은 드론을 활용하여 방사선 관측을 계획하고 있으며, 그리스 Papastamos는 토지측량에 드론을 활용하여 인력 축소 및 비용 절감을 이루어 내고 있다. 과거 토지 측량을 위해서는 현장에 12명의 팀원을 투입했으나 드론 도입 후 드론 1대와 2명이 측량 작업을 수행할 수 있다고 한다.

드론은 이와 같이 단순히 제조 산업으로 바라볼 것이 아니라, 우리의 산업 전반에 혁신을 가져올 수 있는 도구로 바라보는 것이 올바른 시각이다. 향후 이처럼 드론과 연관된 다양한 산업에 주목할 필요가 있다.

드론이 4차 산업혁명의 선보 분야인만큼 관련 육성 정책이나 법규가 빠르게 변화하고 있다. 국토교통부는 2018년 공공분야나 긴급상황에서 드론 활용을 활성화하고 국토부는 2026년까지 704억 원 규모의 드론 시장 규모를 4조 1,000억 원 수준으로 키우고, 세계 5위권의 기술경쟁력과 6만 대의 드론 상용화를 목표로 하고 있다.

또한 야간, 가시권 밖 비행 특별 승인 검토기간을 단축하기 위한 항공안전법 하위법령 개정안을 입법예고하기도 했다. 2017년 11월 특별비행승인에 관한 항공안전법을 개정하였으나 국가기관, 지자체, 국립공원관리공단만 적용 특례되었다. 이에 공공분야 드론 확산으로 긴급운영 공공기관 추가 지정 필요성이 제기되고 비행금지구역 등에서 비행 시 사전승인을 받아야 하는 이유로 활용에 어려움이 있어 적용특례 공공기관 추가 지정 등을 위한 법령이 개정된다.

많은 규제가 드론산업의 걸림돌로 작용한 만큼 향후 드론에 대한 규제완화가 계속해서 이루어질 것으로 보인다. 이렇게 되면 여러 산업분야에서 활용도가 점점 높아지게 될 것이고 관련 일자리 창출도 활발하게 전개될 것이다. 정부는 2020년 드론 개발 인프라 구축을 위해 국가 종합 비행시험장을 구축하고 시범사업 공역을 대상으로 전용 비행시험장을 단계적으로 구축하였다. 이번 사업으로 2025년까지 약 16만 4,000여 명의 일자리가 창출될 것이며, 생산과 부가가치 효과를 포함해 약 28조 3,000억 원의 경제효과도 내다보고 있다.

그러나 드론 활성화에 따른 부작용도 주의해야 한다. 드론을 이용해 이웃집을 몰래 촬영하고 마약을 운반하는 등의 드론 범죄가 발생할 수도 있기 때문이다. 허가를 받지 않은 경우 야간에 드론을 날리면 200만원 이하의 과태료 처분을 받을 수 있지만, 지방항공청에 신고해야 하는 드론은 길이 7m, 무게 12kg 이상만 해당하기 때문에 초소형 드론은 신고대상에 포함되지 않는다. 이처럼 현행 규제는 아직 미흡한 점이 많기 때문에 정교한 법규마련이 필요하다. 외국에선 드론 규제 논의가 오히려 드론 산업을 육성하기 위한 방안의 한 축으로 이뤄지고 있는 만큼 한국 역시 과감한 지원책 마련과 규제 논의를 병행해야 할 것이다.

이번에 새로 업데이트된 본서의 개정판에서는 국내외 드론시장의 동향과 정책동향, 국내외 드론 주요 업체의 최근 이슈 등의 내용이 새롭게 추가되었다. 국토교통부에 따르면 전 세계 드론 시장 규모는 2016년 7조 2,000억원, 2022년 43조 2,000억원, **2026년에는 90조 3,000억원까지 성장**할 것이라는 전망인데, 현재 드론 시장의 동향은 **'군사용 드론'에서 '민간용 드론'으로 초점이 옮겨지고 있는 상황**이다. 현재 드론시장에서 가장 많은 비중을 차지하는 드론은 군사용 드론이지만, 민간용 드론의 시장규모가 2025년에는 군사용 드론의 규모를 넘어설 것이라는 예측이 나오고 있기 때문이다. 이유는 민간용 드론에 속해있는 산업용 드론이 미국과 중국을 필두로 각국 규제 완화 및 정부 지원이 강화되면서 수요가 연평균 30% 증가해 시장을 주도할 것이라는 분석 때문이다. 따라서 개인용과 산업용 드론 시장을 모두 합하면 군사용 시장의 규모도 넘어설 수 있다는 예측은 어느정도 타당성이 있는 것이다.

한편, 국내외에서 가장 주목받고 있는 드론 산업의 분야는 **'드론 배송 서비스'**이다. 이를 위하여 글로벌 업체들은 발빠르게 움직이고 있다. 아마존과 알리바바와 같은 e커머스 업체와 DHL, UPS와 같은 물류업체, 벤츠와 같은 차량 제조업체, 통신사 등도 배송 효율을 높이기 위한 드론 도입을 적극 검토 중이다.

국내에서도 드론 산업에 대한 속도에 박차를 가하고 있다. 정부서울청사에서 열린 국무총리 주재 국정현안점검조정회의에서 '드론 분야 선제적 규제혁파 로드맵'을 확정했다는 소식이 전해졌다.

로드맵의 핵심적 내용에는 드론택시나 택배드론 등이 오갈 수 있는 드록전용공역의 단계적 구축, 불법드론을 탐지하기 위한 장비 도입 합법화, 드론 연구 및 개발 지원 등의 안건이 담겨있다. 이를 통해 **드론 규제완화 및 정부의 적극적인 지원 정책에 힘입은 국내 드론 업계들**도 드론 사업 영역을 확장해나가기 위한 여러 노력들을 하고 있다. 대표적인 예로 대한항공은 중소기업과 손잡고 하이브리드 드론 개발에 앞장섰고, 드론 정책 또한 군수사업에서 민수사업으로 영역을 확장할 것이라는 계획을 밝혔다. 바이로봇은 교육용 드론 시장을 한층 더 넓힐 계획이며, 한국항공우주산업은 성층권 태양광 드론 시험비행에 성공했다는 소식을 전했다. 이 외에 여러 기업들이 서로 업무협약을 맺어 새로운 드론 모델을 개발하는데에 힘쓰고 있다.

<참고문헌>

- [월간로봇]각국의 최근 드론 개발 현황, 로봇신문, 2014.10
- 2016년 드론 산업 전망 보고서, 한국인터넷진흥원, 2015.12
- DHL도 "드론 배송" 택배업체들 '공중전' 세계 무대로, 전자신문etnews, 2013.12
- KB 지식비타민 : 국내외 무인이동체 산업현황, KB금융지주경영연구소, 2015.07
- 국가별 국방과학기술수준 조사서, 국방기술품질원, 2012
- 국내·외 드론산업 현황 및 활성화 방안, 윤광준, 2016
- 드론산업 생태계 구성 현황과 시장 활성화를 위한 규제 요건, 정보통신기술진흥센터, 2015
- 미래성장동력 산업엔진 종합실천계획 발표회, 산업통상자원부, 2015.03
- 미래우주산업의 총아 무인항공기, 장두현, 2006
- 산불 감시부터 살충제 살포·피자배달까지…천만 가지 응용 사례, ChosunBiz, 2014.05
- 상업용 민간 무인항공기 보급 기반 구축 기획 최종보고서, 국토교통부· 한국건설교통기술평가원, 2012
- 영상응용지적도 개발 및 활용, 대한지적공사 공간정보연구원
- 전력분야 드론 활용 방안 및 사례, 전력계통연구팀, 이복실
- 확대되는 무인항공기(드론) 기술·시장 전망과 최근 개발동향, IRS Global, 2014.0
- 전세계 민간 드론 수요 폭증, 2026년 전체시장 90조 전망/서울경제
- 잠재력 많은 드론의 미래, 해외시장은?/보안뉴스
- 미국 운송용 드론(UAV) 시장동향/Kotra 해외시장뉴스
- 떠오르는 터키 드론 시장/Kotra 해외시장뉴스
- 독일 드론 시장동향/Kotra 해외시장뉴스
- 중국 무인기(드론) 시장동향/Kotra 해외시장뉴스 중국 청두무역관
- [업종분석] 세계 하늘 장악에 나선 중국 드론 산업/뉴스핌
- 일본 드론 시장동향/Kotra 해외시장뉴스 일본 도쿄무역관
- 폴란드 드론시장과 관련 산업 성장 전망/Kotra 해외시장뉴스 폴란드 바르샤바무역관
- 드론길 활짝 열린다/헤럴드경제
- 한국감정평가사협회 LX와 드론 활용한 감정평가 실시/파이낸셜 뉴스
- 軍 소형드론 운용 쉬워진다/파이낸셜 뉴스
- 드론 활용 민·관·군·경 통합방위체계 구축 시연/e수원뉴스
- 드론 2시간 비행 시대, 두산 수소연료전지가 열었다/머니투데이
- 광주에 1만㎡ 규모 드론공원 생긴다/서울PN
- 충남도, 공공분야 드론 조종인력 양성 본격화/파이낸셜뉴스
- 전력산업에도 드론 떴다/건설경제
- [한국농업신문] 병해충 방제 '드론 활용' 기반 마련/한국농업신문
- 무인항공기 시장·기술·법제도 실태분석 및 정책적 대응방안 연구, 2015, 박철순
- 드론 규제, 미리 내다보고 선제적으로 개선합니다/국토교통부
- 드론 활용의 촉진 및 기반조성에 관한 법률 제정안 통과/국토교통부
- 드론 택배 택시 상용화 조직 신설/국토교통부
- 중국 드론 제조업체 DJI "2개 신형 모델 美서 보안승인 받아"/한국경제

- 정보 유출될 수 있다더니⋯중국 드론 제조사 DJI "美서 보안 승인"/조선비즈
- 드론 플랫폼 운영자로 변신하고 있는 중국 DJI/로봇신문
- 30분 만에 택배가 날아온다고? 어떻게?/앱스토리
- 중국 무인 드론택시, 오스트리아서 시범비행 '성공'/한국무역신문
- 중 저가 드론에 밀린 佛 패럿 "토이 사업 접고 기업·상업 솔루션 집중"/!T Chosun
- 대한항공, 중소기업과 '하이브리드 드론' 협력 생산/로봇신문
- 대한항공, 드론 지원정책 힙입어 군수에서 민수로 사업영역 넓혀가/비즈니스 포스트
- 바이로봇, 누구나 쉽게 사용할 수 있는 '교육용 드론' 소개 예정/드론뉴스
- 한국남동발전, 드론으로 태양광 발전설비 검사 효율 향상/AI TIMES
- 한국항공우주 기업개요/네이버금융
- 한국항공우주산업 CJ대한통운, 드론 활성화정책에 신사업 한 발 진척/비즈니스 포스트
- 비행기인듯 위성인듯⋯성층권 누비는 태양광 드론/한겨레
- SKT-유곤시스템, 5G 드론솔루션 상생개발/아이뉴스24
- LIG넥스원·성우엔지니어링, 드론·무인기 사업서 맞손/이코노믹 리뷰
- LIG넥스원, 성우엔지니어링과 드론·무인기사업 제휴/조선비즈
- LG유플러스, AI 음성인식 기반 5G 드론 선보여/보안뉴스

초판 1쇄 인쇄 2017년 6월 7일
초판 1쇄 발행 2017년 6월 12일
개정판 1쇄 발행 2018년 8월 24일
개정2판 발행 2020년 1월 6일
개정3판 발행 2020년 11월 16일
개정4판 발행 2022년 2월 07일

편저 ㈜비피기술거래
펴낸곳 비티타임즈
발행자번호 959406
주소 전북 전주시 서신동 832번지 4층
대표전화 063 277 3557
팩스 063 277 3558
이메일 bpj3558@naver.com
ISBN 979-11-6345-337-6(13550)
가격 66,000원

이 도서의 국립중앙도서관 출판예정도서목록(CIP)은 서지정보유통지원시스템 홈페이지
(http://seoji.nl.go.kr)와 국가자료공동목록시스템(http://www.nl.go.kr/kolisnet)에서 이용하
실 수 있습니다.